De précieux miracles de Noël

Témoignages
de la présence divine dans nos vies

Karen Kingsbury

Traduit de l'américain par
Martin Kurt

Éditeur : François Doucet
Traduction : Martin Kurt
Révision linguistique : Véronique Vézina
Révision : Nancy Coulombe
Graphisme : Sébastien Rougeau
Photo : Andrew Hall/Stone
ISBN 2-89565-361-5
Première impression : 2005
Dépôt légal : troisième trimestre 2005
Bibliothèque Nationale du Québec
Bibliothèque Nationale du Canada

Éditions AdA Inc.
1385, boul. Lionel-Boulet
Varennes, Québec, Canada, J3X 1P7
Téléphone : 450-929-0296
Télécopieur : 450-929-0220
www.ada-inc.com
info@ada-inc.com

Diffusion
Canada :   Éditions AdA Inc.
France :   D.G. Diffusion
                Rue Max Planck, B. P. 734
                31683 Labege Cedex
                Téléphone : 05.61.00.09.99
Suisse :   Transat - 23.42.77.40
Belgique :   D.G. Diffusion - 05.61.00.09.99

Imprimé au Canada

Participation de la SODEC. SODEC
Nous reconnaissons l'aide financière du gouvernement du Canada par l'entremise du
Programme d'aide au développement de l'industrie de l'édition (PADIÉ) pour nos
activités d'édition.
Gouvernement du Québec - Programme de crédit d'impôt pour l'édition de livres -
Gestion SODEC.

Catalogage avant publication de Bibliothèque et Archives Canada

Kingsbury, Karen

   De précieux miracles de Noël
   Traduction de : A treasury of Christmas miracles.
   ISBN 2-89565-361-5

   1. Miracles. 2. Noël - Miscellanées. I. Titre.

BT97.3.K5514 2005   231.7'3   C2005-940903-7

À mon extraordinaire mari et mes merveilleux enfants,
Kelsey, Tyler, Austin, Sean, Joshua et EJ.
Et au Dieu tout-puissant,
qui m'a gratifiée de leur présence,
le plus beau des cadeaux.

Préface

J'aime Noël — et tout ce qui l'entoure.

Décembre arrive avec son cortège de réjouissances et toutes ses traditions : ses chants joyeux et ses lumières scintillantes, ses soldes, ses rubans rouges et verts, et tous les cadeaux soigneusement disposés sous l'arbre.

Noël est aussi la période propice pour dresser le bilan de notre présence sur terre. Chaque mois de décembre, nous pouvons jeter un regard en arrière, nous émerveiller des desseins de Dieu et réaliser combien nous sommes peu maîtres des événements qui ont marqué l'année qui vient de s'écouler. Avec un cœur ouvert, nous pouvons célébrer cette nuit de paix, cette sainte nuit, et toutes ces certitudes. Le Christ est né pour nous. Il est amour. Et les projets qu'il forme pour nous surpassent toujours ceux que nous concevons nous-mêmes.

Je le comprends mieux à chaque année qui passe.

La saison dernière, ma sœur et moi avons parcouru les centres commerciaux après l'Action de grâce, en compagnie d'une meute d'acheteurs à l'affût des meilleures aubaines, bien avant que le soleil sorte. J'ai été sidérée, comme je le suis à chaque année, de constater combien nous nous agitons pendant cette période. Traquant les soldes, cherchant désespérément le bon cadeau au bon prix, et souvent si affairés que nous remarquons à peine les paroles de « Sainte nuit » qui joue dans les magasins et nous rappelle que c'est une « nuit de paix ».

Malheureusement, nous avons ce sentiment d'urgence pour les mauvaises raisons. Nous devrions plutôt passer notre temps à rechercher les miracles qui se produisent ostensiblement autour de nous. Particulièrement pendant la période de Noël. Ces miracles nous rappellent que Dieu nous aime, et qu'au premier Noël, il nous a fait le plus merveilleux des présents. Son amour se manifeste jour après jour — souvent par des miracles.

C'est pour cela que j'ai rassemblé ces précieux miracles de Noël. Bien que les histoires soient véridiques, elles ont été romancées pour préserver l'anonymat des personnes impliquées.

Nous avons tous besoin d'un miracle. Par chance, de telles histoires abondent, si nous avons seulement des yeux pour les remarquer — pour les chercher. J'espère que les témoignages rassemblés ici donneront un sens supplémentaire au temps des fêtes pour vous et les vôtres. Peut-être qu'ils vous donneront envie de tendre la main à une personne dans le besoin. Ou qu'ils vous apporteront du réconfort après la perte d'un être cher.

Plus que jamais, je suis stupéfaite du contraste qui existe entre mes accaparants préparatifs de Noël et le peu d'attention que la fête reçut il y a deux mille ans. La nuit de cet événement, pas un seul aubergiste n'avait de chambre pour accueillir le Roi des rois. Ils ont manqué le plus grand des miracles !

Regardez autour de vous à Noël. Surveillez les miracles de cette saison.

Je prie pour que tous ceux qui préparent si bien cet événement ne manquent pas son sens véritable. Peu importe combien nos vies sont chargées, j'espère qu'il reste un peu de place dans nos cœurs pour celui dont la naissance a changé le monde à jamais. Celui qui accomplit encore des miracles de Noël parmi nous.

S'il y a un miracle — qu'il soit de Noël ou autre — que vous souhaitez partager avec moi, ou si vous voulez simplement me dire bonjour, vous pouvez m'adresser un courriel à rtnbykk@aol.com. J'ai hâte de vous lire.

De précieux miracles de Noël

Cette nuit de paix

C'est précisément un mois avant Noël que Katy Anderson apprit que sa mère se mourrait d'un cancer, dans leur ville natale située à une heure de Des Moines, en Iowa. À vingt et un ans seulement, Katy était fraîchement mariée et demeurait à plusieurs États de distance lorsqu'elle apprit la tragique nouvelle.

Sa mère n'avait que quarante-cinq ans et, pire, elle vivait seule et ne pouvait s'occuper d'elle-même.

— Je ne peux pas laisser maman mourir seule, dit Katy en pleurant dans les bras de son mari, Steve. Elle a toujours été là pour moi. C'est à mon tour de m'occuper d'elle.

Le premier Noël du couple approchait à grands pas. Ils puisèrent dans leurs comptes d'épargne et rassemblèrent assez d'argent pour permettre à Katy de prendre l'avion jusqu'en Iowa. C'était un aller simple.

— Dieu trouvera un moyen de nous réunir, Katy, dit Steve en l'embrassant à l'aéroport, sans avoir honte des larmes qui lui emplissaient les yeux. Noël est la saison des miracles, après tout.

Le temps passa, et même si la mère de Katy appréciait beaucoup sa présence, Katy demeurait secrètement terrifiée. Non seulement devait-elle se montrer forte pendant que sa mère dépérissait, mais elle devait le faire sans l'amour et le soutien de Steve.

— Tu t'ennuies de lui, n'est-ce pas ? demanda la mère de Katy en lui prenant la main un après midi. Rentre à la maison, mon ange. Je me débrouillerai. Le Seigneur et moi avons eu une petite discussion et il est prêt à me recevoir n'importe quand.

Katy secoua la tête et sourit, ignorant la tristesse qui envahissait son cœur.

— Je ne te laisserai pas seule. Steve a dit que Noël était la période des miracles. Dieu trouvera un moyen de nous réunir tous.

Pendant ce temps, au Montana, Steve se leva à l'église le dimanche avant Noël et demanda aux fidèles de prier pour lui.

— Je voudrais être avec Katy et sa mère.

Il s'interrompit et croisa les regards des amis et des familles qu'il rencontrait depuis des années à l'église.

— Prions pour que Dieu accomplisse un miracle et m'aide à me rendre là-bas.

Il fallait près de trois jours de route pour parcourir la distance entre Billings, au Montana, et la maison de la mère de Katy, en Iowa. Bien que le patron de Steve ait accepté de lui donner cinq jours de congé pendant Noël, il n'avait pas suffisamment de temps pour faire l'aller-retour en voiture et passer du temps avec Katy et sa mère. Finalement, trois jours avant Noël, Steve reçut un appel.

— J'ai entendu dire que vous aviez une prière à faire exaucer.

C'était Joe Isaacson, un cadre commercial du coin et un paroissien qui fréquentait la même église depuis longtemps. Joe possédait un Cessna à deux places et il voyageait souvent les fins de semaine pour se détendre. Il avait prévu prendre l'air ce mercredi, 23 décembre, et pourrait voler un peu plus loin si Steve désirait se rendre en Iowa.

Surtout que c'était la période de Noël.

Steve sentit des frissons parcourir ses bras et ses jambes. Il remercia Joe et prit un arrangement avec lui pour le départ. Il appela ensuite Katy pour lui apprendre la bonne nouvelle.

— On va finalement passer Noël ensemble, chérie. Je savais que Dieu accomplirait un miracle de Noël si je le Lui demandais.

— Dépêche-toi, Steve. Maman… elle ne va plus très bien, dit-elle d'une voix blanche.

Les petits avions ne figuraient pas en bonne place dans la liste des moyens de transport sécuritaires de Steve, ni même dans celle des moyens de détente. En fait, il n'avait jamais voyagé en avion auparavant et avait toujours crû qu'il ferait son baptême de l'air dans un jumbo-jet. Mais l'occasion était trop belle de rejoindre son épouse dans l'Iowa pour Noël. Il ne la laisserait pas passer.

— C'est un petit avion, mais il est aussi confortable que de la soie dans les airs, lui dit Joe la veille du départ. Vous pourrez être mon navigateur.

Dans un recoin de son esprit, Steve sentit passer un frisson d'angoisse. Il refoula ses craintes et s'éclaircit la gorge.

— Je n'ai jamais été navigateur, répondit-il en riant. Mais je suis bien prêt à conduire l'avion moi-même si c'est pour retrouver ma femme à Noël

Le jour suivant, Steve rencontra Joe dans un aérodrome situé à l'extérieur de la ville. La matinée était superbe, le ciel était dégagé, sans trace aucune de mauvaise température. Les accords de « Sainte nuit » résonnaient dans les haut-parleurs de l'aérodrome.

— Le temps est parfait, déclara Joe en se glissant facilement dans la cabine de pilotage. On dirait que nous avons choisi la journée idéale pour faire un vol.

Steve jaugea le petit appareil et silencieusement, presque inconsciemment, murmura une prière : *Seigneur, guide-nous pendant le trajet et permets-nous d'arriver sains et saufs.*

Pendant la première heure, l'avion traversa le ciel sans encombre. Mais arrivés presque à la moitié du trajet, ils rentrèrent dans une nappe de brouillard.

— Tout va bien, dit Joe d'une voix rassurante tout en montrant quelque chose à travers le pare-brise. Nous voyons les antennes radio au-dessus du brouillard. Tant que nous les verrons, nous saurons où nous sommes. En plus, nous avons des cartes. Tout ira très bien.

Pendant un certain temps, tout sembla indiquer que Joe avait raison. Mais soudain, alors que l'avion survolait la ville de Pierre, dans le Dakota du Sud, le brouillard s'obscurcit, jusqu'à rendre la visibilité nulle.

Presque au même moment, la radio et les instruments de bord moururent. Les deux hommes ne distinguaient plus rien au sol et, à cause de la défaillance des instruments, ils ne pouvaient connaître le niveau d'essence ni communiquer avec la tour de contrôle.

15

Steve n'avait peut-être aucune connaissance de la navigation aérienne, mais il n'avait pas besoin d'un brevet de pilote pour savoir qu'ils couraient un grave danger. Il songea à son épouse et implora Dieu de sauver leurs vies. *Je vous en prie, Dieu, aidez-nous*, pria-t-il en silence, les mains serrées et le visage livide. *Permettez-nous d'arriver sains et saufs.*

Ils traversèrent alors une éclaircie et aperçurent l'aéroport municipal de Pierre juste sous eux. Joe fit descendre l'appareil et le fit atterrir en douceur.

— Merci, mon Dieu, murmura Steve tandis que les deux hommes sortaient de l'appareil.

Joe fouilla dans la boîte de fusibles. Un fusible brûlé avait entraîné la panne des instruments de bord. Joe le remplaça pendant que Steve téléphonait à Katy.

— Écoute, chérie, dit Steve à Katy, nous serons en retard parce que la température est mauvaise. Rejoins-moi à l'aéroport une heure plus tard que prévu.

— Est-ce que tout va bien ? Avec l'avion, je veux dire ? demanda-t-elle.

Steve s'aperçut que Katy essayait de maîtriser la crainte dans sa voix.

— Tout va bien, répondit-il. Et devine ? Mon patron a dit que je pouvais prendre congé jusqu'à après le Nouvel An. Ce sera le plus beau présent de Noël, me trouver avec toi et ta mère. Je t'aime, chérie. À tout à l'heure.

Lorsqu'ils remontèrent dans l'avion, Steve formula encore une prière silencieuse : *Dieu, vous nous avez guidés jusqu'ici. Menez-nous sains et saufs jusqu'en Iowa.*

16

Moins d'une heure plus tard, les deux hommes se retrouvèrent dans le ciel, réjouis de constater que le soleil était revenu et que le ciel était à nouveau dégagé. Alors qu'ils survolaient Sioux Falls, les craintes de Steve s'étaient presque évanouies et il attendait avec impatience de se retrouver avec Katy.

Tandis que l'avion volait au-dessus d'une série de vallées, ils s'engouffrèrent de nouveau dans le brouillard, étant immédiatement entourés d'une chape grise épaisse, suffocante. Quelques instants plus tard, ils approchèrent d'une chaîne de montagnes et Steve observa Joe se débattre pour négocier leur passage.

— Après ces montagnes, nous devrions retrouver le soleil, annonça Joe, cherchant à convaincre Steve autant qu'à se convaincre lui-même. Il n'y a jamais de brouillard dans cette région.

Mais tandis que la nuit tombait, il y avait toujours autant de brouillard. Il était si dense, en fait, que les deux ne voyaient absolument rien au-delà du pare-brise. L'aéroport n'était plus très loin. Joe contacta immédiatement la tour de contrôle pour obtenir de l'aide.

— Nous sommes fermés à cause du brouillard, annonça le contrôleur de la navigation aérienne. Nous ne sommes pas équipés pour un atterrissage aux instruments. Vous devez retourner à l'aéroport municipal de Pierre.

— C'est à plus d'une heure de vol, répliqua Joe, je ne peux pas. Nous n'avons presque plus de carburant. Nous ne pouvons pas voler jusqu'à Pierre.

La cabine s'emplit d'un silence sinistre. La visibilité était nulle. Le regard de Steve glissa jusqu'à la jauge à carburant. L'aiguille oscillait dangereusement autour de « vide ». Il pria encore une fois silencieusement, cherchant à maîtriser sa peur : *Seigneur, je vous en prie, faites-nous sortir de ces nuages sains et saufs. Laissez-nous passer Noël en famille, je vous en prie…*

Finalement, une voix différente perça le silence.

— O.K. Nous allons avertir l'équipe au sol. Faites un atterrissage d'urgence.

Steve se cramponna à son siège, les pupilles dilatées par l'angoisse. Il n'y avait pas moyen de faire un atterrissage d'urgence, pas avec ce brouillard qui rendait toute visibilité nulle.

17

La voix de Joe claqua aux oreilles de Steve.

— Attrape les cartes aériennes.

Steve les ouvrit aussitôt et Joe estima leur position actuelle. Selon la carte, ils se trouvaient juste au-dessus de l'aéroport. Graduellement, Joe commença à descendre dans le brouillard. La voix du contrôleur retentit aussitôt dans la cabine.

— Remontez ! Remontez !

Joe réagit immédiatement, juste au moment où les deux apercevaient une brèche dans le brouillard. Ils ne se trouvaient pas au-dessus de l'aéroport comme ils l'avaient d'abord cru. Ils survolaient en fait une autoroute bondée et avaient failli heurter un saut-de-mouton, le manquant d'à peine quelques mètres.

Steve sentit son cœur battre la chamade et il eut aussitôt une grande certitude. Sans intervention divine, il n'y avait pas moyen de sortir de ce péril indemne. Le souvenir de « Sainte nuit », entendu plus tôt à l'aérodrome, lui vint à l'esprit. Maintenant, les mots avaient une signification terriblement différente. Si personne ne les guidait jusqu'à bon port, le silence qui régnait dans la cabine pourrait bien être la dernière chose qu'ils devraient connaître.

À ce moment, la voix du contrôleur rompit à nouveau le silence.

— Si vous écoutez mes instructions, je vous aiderai à atterrir.

— Allez-y, je vous écoute, répondit Joe après avoir échappé un soupir de soulagement.

Steve ferma momentanément ses yeux et pria, implorant Dieu de les guider sans encombre jusqu'au sol.

Pendant ce temps, le contrôleur aida Joe à préparer leur atterrissage.

— Descendez un peu. O.K. Encore un peu. Moins que ça. Parfait, tournez sur la droite. Continuez en ligne droite et descendez encore un peu.

La voix calme, rassurante du contrôleur continua d'émettre une série de directives, que Joe suivit à la lettre. Le voyage sembla durer une éternité et Steve se demanda s'il reverrait un jour son épouse. *Je vous en prie, Seigneur,* murmura-t-il, *ramenez-nous au sol. Je vous en prie.*

— Élevez-vous un peu, continua le contrôleur. O.K. Vous êtes trop loin sur la gauche. C'est bien. Descendez encore un peu. Parfait, vous êtes au début de la piste. Atterrissez. Maintenant !

Suivant soigneusement les instructions, Joe avait fait descendre l'appareil. Lorsqu'ils furent à quelques mètres du sol, ils aperçurent la piste d'atterrissage. Au moment où l'avion toucha le sol, Steve aperçut Katy qui guettait anxieusement leur arrivée. Ses yeux s'emplirent de larmes de soulagement et de gratitude.

Les deux hommes se regardèrent dans la cabine. Sans dire un mot, ils penchèrent leur tête et fermèrent leurs yeux.

— Merci, mon Dieu, dit Steve avec émotion. Merci d'avoir épargné nos vies aujourd'hui. Merci d'avoir répondu à mes prières.

Joe prit la radio de bord et contacta la tour de contrôle.

— Hé, merci pour ce que vous venez de faire. Nous n'aurions jamais pu atterrir sans votre aide. Vous nous avez sauvé la vie.

Il y eut un bref moment de silence.

— De quoi parlez-vous ? demanda le contrôleur. Nous avons perdu tout contact radio avec vous quand nous vous avons demandé de retourner à Pierre.

Il avait une voix différente et semblait complètement dérouté.

Steve eut la chair de poule et regarda le visage de Joe devenir livide.

— Quoi ?

20

— On ne vous a plus entendu parler. On ne vous a entendu parler à personne d'autre non plus. On a été surpris de vous voir surgir au bout de la piste. En passant, c'était un atterrissage parfait.

Steve et Joe se regardèrent l'un l'autre avec incrédulité. Si le contrôleur ne les avait pas aidés à accomplir un atterrissage d'urgence, qui avait bien pu le faire ? À qui appartenait cette voix qui les avait guidés et leur avait sauvé la vie ?

Aujourd'hui, Steve est conscient qu'il ne peut toujours pas répondre précisément à ces questions. Mais, dans son cœur, il est convaincu que Dieu lui a vraiment accordé un miracle de Noël ce soir de décembre.

— Je crois que Dieu nous a protégés cette journée-là et qu'il a probablement permis à un ange de nous guider jusqu'au sol. C'était un Noël où Katy et moi avions terriblement besoin l'un de l'autre. Dieu m'a soutenu en cette nuit de paix et il continue de le faire chaque jour de ma vie.

Une main secourable

*A*dam Armstrong avait reçu l'appel juste après neuf heures le jour de Noël, alors qu'il patrouillait pour le bureau du shérif à Akron, en Ohio. Une femme pleurait bruyamment dans un box au relais routier à l'extérieur de la ville. Plusieurs clients s'étaient inquiétés et avaient appelé le bureau du shérif.

Armstrong poussa un soupir et dirigea sa voiture vers le relais. Avec huit années d'expérience comme agent de police, il avait vu tellement de douleur dans la vie des gens qu'il ne pouvait que supposer ce qui amenait une femme à pleurer bruyamment dans un relais routier.

Surtout le jour de Noël.

Tandis qu'il parcourait les derniers kilomètres, il se rappela que la douleur des gens était ce qui l'avait conduit d'abord vers la carrière de policier. Il avait passé une soirée avec un agent de police pour les besoins d'un article qu'il rédigeait pour un journal local. Le premier appel de la soirée concernait une femme qui avait été durement battue par son mari. Armstrong avait observé l'agent passer les menottes au mari avant de l'embarquer ; il avait vu le soulagement sur le visage de la femme et avait eu une intuition soudaine. Il pourrait écrire un millier d'histoires sur le bien et le mal au cours de sa vie. Mais aucune ne pourrait apporter à cette femme ce que l'agent venait de faire. Aucune histoire ne pourrait la soulager de sa souffrance.

Armstrong s'était cherché un emploi dans les forces de police le lendemain et n'avait jamais regretté sa décision. Maintenant, huit ans plus tard, l'amour de son métier était aussi fort qu'au début. Malgré le danger et les frustrations qui accompagnaient son travail, il y avait toujours des soirées comme celle-là où il pouvait alléger la souffrance de quelqu'un.

Sans savoir à quoi s'attendre, Armstrong entra dans le restaurant du relais routier — éclairé par les lumières de Noël — et repéra immédiatement la femme qui pleurait toujours, le visage enfoui dans ses mains. Près d'elle, se trouvaient deux fillettes blondes effrayées qui semblaient avoir quatre et cinq ans.

Le visage d'Armstrong s'adoucit pendant qu'il s'approchait des enfants.

— Qu'est-ce qui se passe, mesdemoiselles ? leur demanda-t-il.

La plus vieille tourna son visage vers lui et Armstrong constata qu'elle aussi versait des larmes.

— Papa ne pouvait pas nous acheter de cadeaux de Noël, répondit-elle, alors il nous a abandonnés. Il a sorti nos affaires de la voiture pendant que nous étions aux toilettes.

Le cœur d'Armstrong se serra. Il étudia le visage de la femme et déposa doucement une main sur ses épaules. Il regarda ensuite les fillettes en leur adressant un sourire chaleureux.

— Alors, c'est bien ce qui s'est passé ?

Les fillettes firent un signe de tête affirmatif.

— Eh bien, je veux que vous grimpiez sur ces tabourets là-bas et commandiez quelque chose à manger.

Les fillettes s'éloignèrent à contrecœur de leur mère et s'assirent sur les tabourets face au comptoir. Armstrong fit un signe à la serveuse et lui dit de donner aux filles ce qu'elles voudraient dans le menu.

Avec les fillettes hors de portée de voix, l'agent s'assit en face de la femme. Elle retira ses mains et fixa tristement Armstrong, ses yeux emplis d'un immense chagrin.

— Quel est le problème ? demanda doucement Armstrong.

— C'est ce que mes filles ont dit, répondit la femme en essuyant ses yeux. Mon mari n'est pas mauvais. Il est au bout du rouleau. Nous sommes complètement fauchés. Il a pensé que nous recevrions plus d'aide si nous étions seules que s'il restait. J'ai prié ici pour savoir quoi faire, mais je n'ai même pas de monnaie pour faire un appel téléphonique. Ce n'est pas vraiment un bon Noël, monsieur. Maintenant, je voudrais juste avoir un signe que Dieu m'écoute, ajouta-t-elle en versant de nouvelles larmes.

Armstrong approuva de la tête, les yeux emplis de compassion. Il ajouta silencieusement sa propre prière, demandant à Dieu de lui indiquer comment aider cette femme et ses jeunes enfants. Armstrong croyait de tout son cœur que Dieu avait envoyé des anges pour le protéger plus d'une fois pendant le service et il avait la conviction qu'Il pourrait faire la même chose pour cette famille.

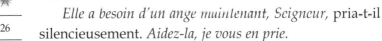

Elle a besoin d'un ange maintenant, Seigneur, pria-t-il silencieusement. *Aidez-la, je vous en prie.*

Armstrong rompit le silence.

— Avez-vous de la famille ?

— La plus proche est à Tulsa.

Armstrong réfléchit pendant un moment, puis mentionna plusieurs organismes qui pourraient les aider. Tandis qu'ils parlaient, la serveuse apporta des hot dogs et des frites aux fillettes. L'agent s'approcha du comptoir pour régler l'addition. *Ce sera mon cadeau de Noël pour elles,* pensa-t-il.

— Le patron leur offre, répondit la serveuse. Nous comprenons ce qui se passe ici.

Armstrong sourit à la femme et la remercia de la tête. Ensuite, il demanda aux filles comment elle trouvait leur souper. Pendant ce temps, un camionneur se leva de sa table et parla à voix basse à la serveuse. Elle le prit par le bras et le dirigea vers Armstrong.

Il est plutôt inhabituel pour un camionneur d'approcher un agent de police de son propre gré. Les camionneurs et les policiers éprouvent une antipathie mutuelle. La plupart des camionneurs pensent que les agents amputent leur salaire en leur dressant des contraventions, tandis que les agents voient les camionneurs comme des gens téméraires qui font passer les profits avant la sécurité. La vérité, en fait, se situe quelque part entre les deux. Armstrong ne pouvait toutefois pas se rappeler une occasion où un camionneur l'aurait approché pendant le service.

Le camionneur portait des jeans, un tee-shirt et une casquette de baseball. Il marcha jusqu'au comptoir et s'accouda près d'Armstrong. L'agent remarqua que le bourdonnement des conversations et de l'activité avait cessé et que le restaurant était silencieux. La plupart des clients — presque tous des camionneurs sur longues distances — observaient la conversation entre leur confrère et le policier.

— Excusez-moi, monsieur l'agent, prenez ça, dit l'homme en tendant une liasse de billets de banque. Nous avons passé le chapeau. Il semble y en avoir assez pour que la femme et les filles puissent se débrouiller un peu.

D'aussi loin qu'il se rappelle, Armstrong avait appris que les policiers ne pleurent jamais, du moins pas en public. Il se tint là, attendant que la boule passe dans sa gorge et qu'il puisse à nouveau parler.

Armstrong serra alors fermement la main de l'homme.

— Je suis sûr qu'elle va apprécier le geste, dit-il d'une grosse voix pour masquer son émotion. Est-ce que je peux lui dire votre nom ?

— Non, répondit le camionneur en levant les mains et en se reculant. Dites-lui que c'est de la part de gens qui ont des familles. Des gens qui souhaiteraient être à la maison pour Noël aussi.

Armstrong fit un signe de la tête. Il pensa à la loyauté à toute épreuve dont font preuve, les uns envers les autres, ceux qui passent leur vie sur la route. Tandis que le camionneur s'éloignait, Armstrong compta l'argent et fut stupéfait. Quelques camionneurs réunis dans une pièce avaient réussi à amasser deux cents dollars en quelques minutes, suffisamment d'argent pour acheter trois billets d'autocars jusqu'à Tulsa et de la nourriture pour la route.

L'agent revint vers le box et tendit l'argent à la femme qui recommença à pleurer.

— Il a entendu, murmura-t-elle entre deux sanglots.

— Qui, madame ? demanda Armstrong, se demandant de qui elle voulait parler.

— Ne voyez-vous pas ? Je suis arrivée ici complètement désespérée. Je me suis assise dans ce box et j'ai demandé à Dieu de nous aider, de nous donner un signe qu'Il nous aimait toujours.

Armstrong sentit ses bras se couvrir de chair de poule et se rappela sa propre prière — comment il avait demandé à Dieu d'envoyer des anges pour venir en aide à cette femme. Les camionneurs ne correspondaient pas tout à fait à la représentation biblique des anges, mais Dieu les avait envoyés de la même manière.

— Vous savez, madame, je crois que vous avez raison. Je pense qu'Il vous a vraiment entendu.

Au même moment, un jeune couple entra dans le restaurant, aperçut la femme en pleurs et s'approcha sans hésiter. Tous deux se présentèrent et offrirent leur aide.

— Bien, dit la femme, j'aimerais me rendre au terminus d'autocars. Voyez, j'ai l'argent et je veux me rendre jusqu'à...

Armstrong se retira discrètement jusque dans un coin tranquille. Il alluma son émetteur.

— Tout est sous contrôle, annonça-t-il.

Il retourna à sa voiture de patrouille. Il attendit d'être complètement hors de vue pour laisser jaillir ses larmes — des larmes qui lui permettraient de ne jamais oublier ce qui venait de se passer dans ce relais routier. En tant qu'agent de police, il avait souvent vu le pire de la nature humaine. Mais, cette nuit-là, il redécouvrait la compassion, la sollicitude et l'amour qui existent chez les êtres humains. Il avait aussi appris autre chose. Dieu répond parfois aux prières à l'aide d'une douzaine de camionneurs au grand cœur qui prennent leur café dans un relais routier à la sortie d'Akron, en Ohio — et qui jouent le rôle des anges de Noël.

Le plus beau temps de l'année

*P*aul Jacobs travaillait dans la cour de sa résidence d'Austin, au Texas, en pensant à son frère Vince. C'était le plus beau temps de l'année, la période de Noël, mais Vince le passait à l'hôpital aux prises avec une crise d'appendicite. *Dieu, aidez-le… c'est Noël… laissez-le revenir à la maison. Seigneur, je vous en prie…* Il venait tout juste de finir sa prière silencieuse lorsque son épouse, Laura, lui cria qu'il avait un appel de la femme de son frère. Il revint à la maison, essuya la sueur sur son front et prit le combiné sur le comptoir.

— Paul, il faut que tu viennes rapidement, laissa échapper sa belle-sœur.

Paul s'aperçut qu'elle était désemparée.

— Vince ?

— Oui, répondit-elle en commençant à pleurer. L'infection s'est répandue dans son corps. Le docteur dit que ça augure mal. Je t'en prie, dépêche-toi, Paul.

Paul raccrocha le téléphone et se déplaça vers sa femme qui l'avait rejoint dans la pièce quand elle avait compris qu'il s'agissait de Vince.

— Je n'arrive pas à y croire, dit Paul. C'était Ruth. Elle a dit que l'état de Paul s'est détérioré. Les médecins pensent que nous devrions tous être là.

— Tu veux dire qu'il ne va peut-être pas s'en sortir ? demanda Laura, affolée.

— Je ne sais pas. Nous devrions y aller pour savoir ce qui se passe.

Paul attrapa les clés de la voiture, bouleversé par la tournure des événements. Vince n'avait que trente-sept ans et avait toujours été en forme et en santé jusqu'à la semaine précédente, alors qu'il avait été hospitalisé pour une appendicite. Les médecins avaient procédé à une appendicectomie, mais pendant l'opération, l'organe avait éclaté, répandant l'infection dans l'organisme.

Au départ, les antibiotiques avaient semblé freiner la propagation de l'infection dans le système. Mais la veille, la fièvre de Vince avait monté et les membres de la famille avaient commencé à s'inquiéter. Jusqu'à présent, toutefois, les médecins n'avaient pas pensé que la vie de Vince était en danger.

Paul pensa à ce qui se passerait si son frère aîné décédait et il frissonna. Vince était dans la fleur de l'âge. Ruth et lui avaient deux jeunes enfants. Il pria silencieusement Dieu d'épargner sa vie et de donner à son corps la force de combattre l'infection.

Paul et Laura roulèrent les huit kilomètres qui les séparaient de l'hôpital où ils rencontrèrent les parents de Paul.

— Est-ce que c'est aussi grave que le dit Ruth ? demanda Paul en cherchant à croiser le regard de son père.

— C'est sérieux, mon garçon. Très sérieux. Il faut prier.

Le changement soudain dans l'état de Vince avait aussi pris son père par surprise. Sam Jacobs et son fils aîné travaillaient ensemble dans l'entreprise familiale d'équipement agricole. Il voyait Vince pratiquement tous les jours. Il le savait solide et en très bonne santé.

33

— Si quelqu'un peut s'en sortir, c'est bien Vince, ajouta le vieil homme. Mais prions quand même.

Paul approuva de la tête et prit sa mère, Ronni, dans ses bras. Il remarqua qu'elle avait des larmes dans les yeux et il pressa sa main.

— Ça va aller, maman, dit Paul pour la rassurer. Dieu ne l'abandonnera pas. Pas avec ses jeunes enfants qui l'attendent à la maison.

Ronni secoua la tête. Elle savait que ça pourrait ne pas être vrai. Les gens meurent parfois sans bonnes raisons. De mauvaises choses se produisent dans la vie. Elles arrivent même aux croyants. Ronni croyait qu'il y avait une raison derrière tous ces événements, mais que cette raison demeurait souvent un mystère.

Et la connaissance de cette raison ne rendait pas les tragédies plus faciles à accepter.

— Prions pour la miséricorde de Dieu, suggéra-t-elle doucement.

Les quatre empruntèrent le couloir stérile jusqu'à la salle d'attente des soins intensifs. Pendant les quelques heures suivantes, il n'y eut pas beaucoup d'échanges pendant qu'ils priaient et attendaient des nouvelles des médecins.

Vers cinq heures, ce soir-là, le médecin soignant entra dans la pièce. La sœur de Vince et sa famille étaient entre-temps arrivées. La salle d'attente était bondée de gens qui s'inquiétaient pour Vince.

— J'ai bien peur de ne pas avoir de bonnes nouvelles, annonça calmement le docteur en enfonçant les mains dans sa veste d'hôpital. La fièvre de Vince est très, très élevée et les tests sanguins montrent qu'il ne réagit plus aux antibiotiques.

Les mots du médecin surgirent sans causer de surprise, même si la famille de Vince était dépassée par les événements.

— Docteur, est-ce que ces complications sont dues à l'appendicite de mon garçon ? demanda Sam.

— Non, pas exactement, répondit le médecin en secouant la tête pensivement. L'appendice s'est enflammé, ce qui a causé le problème initial. Quand il a éclaté durant l'intervention, l'infection s'est répandue dans le sang de Vince, causant une septicémie.

Il marqua une pause, cherchant les bons mots pour expliquer la situation.

— Il lutte maintenant contre une péritonite et une infection générale de l'organisme. Quand cela se produit, l'état du patient est critique et la guérison dépend de la capacité de son système immunitaire à enrayer l'infection. Dans le cas de Vince, le corps a tenté de vaincre l'infection, puis pour une raison ou une autre, a abandonné la lutte. Maintenant, rien n'arrête l'infection et tout ce que nous pouvons faire pour lui est de continuer à administrer des doses massives d'antibiotiques.

— Docteur, quand vous dites « tout ce que nous pouvons faire pour lui », est-ce que cela veut dire qu'il pourrait mourir ? demanda Ronni d'une voix qui se voulait courageuse, même si les autres sentaient qu'elle était sur le point de craquer.

— Oui, j'en ai bien peur. Si rien ne change, il pourrait ne pas passer la nuit.

Laura étouffa un hoquet d'inquiétude, tandis que Ruth se prit la tête en gémissant. Sam s'éclaircit la gorge, son menton tremblant sous le coup de l'émotion.

— Est-ce que nous pouvons le voir, monsieur ?

— La famille immédiate peut lui rendre visite, mais seulement un à la fois, répondit le docteur avant de marquer une longue pause. Je suis vraiment désolé. Il faut espérer un miracle.

Il repartit en laissant la famille de Vince digérer la nouvelle. Ruth se leva, le visage couvert de larmes.

— Je vais le voir en premier, dit-elle en franchissant la porte. Je lui dirai que vous êtes tous là. Peut-être que ça pourra l'aider.

Ruth était préparée à ce qu'elle allait voir dans la chambre de son mari, mais elle trouva tout cela quand même terrible à supporter. Vince avait quatre solutés différents et son corps était rougi par la fièvre. Ses yeux étaient fermés et il semblait emprisonné dans un mauvais rêve. Était-ce vraiment le même homme qui était l'image même de la santé une semaine auparavant ?

— Chérie, c'est moi, murmura-t-elle en se penchant au-dessus du lit.

Vince gémit et Ruth était presque certaine qu'il ne pouvait pas l'entendre. Sa fièvre était si élevée qu'il était dans un état de délire. Ruth prit sa main, surprise de la sentir si chaude dans la sienne.

— Écoute-moi, Vince, dit-elle la voix vibrante d'émotion. Tout le monde est ici. Ils sont dans le corridor. Ils prient pour toi, Vince. Nous voulons tous que tu combattes et que tu reviennes à la maison pour Noël. Tu m'entends, chéri ?

Il n'y eut pas de réponse. Un sanglot jaillit de la gorge de Ruth.

— Vince, je t'en prie, ne meurs pas. Nous avons besoin de toi. Accroche-toi, mon amour.

Elle passa tendrement ses doigts sur son front brûlant, tandis que ses larmes tombaient sur le lit d'hôpital.

— Je t'aime, Vince.

Lorsque Ruth retourna dans la salle d'attente, Sam prit le tour suivant, relayé ensuite par Ronni. Paul et Laura échangèrent alors un regard.

— Vas-y, dit Paul. J'irai après.

Il était plus de huit heures et tout était devenu tranquille dans l'hôpital. Laura quitta la salle pour s'engager dans le corridor. Les autres demeurèrent silencieux, perdus dans leurs pensées et leur tristesse.

Quelques minutes s'écoulèrent, puis le silence fut interrompu par l'irruption d'une vieille dame corpulente dans la pièce. Sam et Ronni reconnurent immédiatement une voisine de longue date, Sadie Johnson. Elle avait près de quatre-vingts ans. C'était une croyante fervente qui faisait du bénévolat à l'église. Malgré la marchette avec laquelle elle devait s'aider pour se déplacer, elle était en forme et passait une heure chaque jour dans son jardin de fleurs.

— M'y voilà, dit-elle avec entrain. Qu'est-ce que des personnes comme vous font dans un hôpital par une nuit pareille ?

Sam salua poliment Sadie de la tête.

— Bonsoir, Sadie. Je ne savais pas que tu étais malade. Est-ce que ça fait longtemps que tu es là ?

— Naaan, répondit Sadie. Juste quelques examens de routine. Vous connaissez les médecins, ils vous poussent dans le dos et prennent des radios juste pour vous dire que tout va bien.

Elle jeta un coup d'œil sur l'horloge murale.

— Eh bien, poursuivit-elle, c'est l'heure d'aller au lit. Il faut que j'y aille. Je me suis baladée un peu pour voir s'il se passait quelque chose d'extraordinaire.

Elle regarda le visage des membres de la famille Jacobs qui attendaient solennellement dans la salle et s'inquiéta soudain.

— Sam, est-ce que tout va bien ? Tout le monde semble terriblement chagriné.

Sam tint sa tête, sentant les pleurs venir. Ronni répondit à sa place.

— C'est notre garçon, Vince, le plus vieux, dit-elle en attrapant la main de son mari. Il a une infection générale de l'organisme. Les médecins pensent qu'il ne passera peut-être pas la nuit.

— Ce n'est pas juste, répondit Sadie d'un air désolé. Vince est un tout jeune homme, n'est-ce pas ? Trente et quelques ? Et pendant le temps de Noël. C'est terrible !

— Trente-sept, répondit doucement Ronni. Ses enfants sont très jeunes.

— Trente-sept ! répéta Sadie en secouant la tête. Et de jeunes enfants.

La vieille femme changea de position, tirant sa robe autour d'elle.

— Eh bien, continua-t-elle, je pense que je vais avoir une conversation avec cet Homme en haut. Je vais lui demander de me laisser partir à la place de Vince. Je voulais passer Noël à la maison, dit-elle en souriant avec des yeux pétillants, pointant le ciel. Vous savez. Ma vraie maison. Là-haut avec le Seigneur et mon cher Kenny. C'est ce que je vais faire : demander au Seigneur s'il peut me prendre à la place de Vince.

La famille Jacobs regarda à l'unisson Sadie, surprise par sa proposition.

— Sadie, ce n'est pas nécessaire, répliqua Sam. Nous prions pour Vince et nous allons prier pour toi, afin que...

— Non, non, coupa Sadie en levant la main. Ne faites pas ça. Je n'ai plus besoin de prières maintenant. Sam, je suis plus que prête à rentrer à la maison. J'ai aimé le Seigneur toute ma vie et je suis fatiguée d'être ici. Je veux rentrer bientôt. Et ça pourrait bien être ce soir.

Elle réfléchit un moment avant de poursuivre :

— Voici ce que je vais faire. Ce soir, je vais demander au Seigneur d'être miséricordieux avec moi. Je vais lui demander de me prendre à la place de Vince, de telle sorte que demain matin, Vince soit en voie de guérison et que je sois aux portes du paradis. Je passerai Noël au ciel et Vince le passera avec sa famille. Est-ce que ce ne serait pas la meilleure chose ?

Sam resta silencieux un moment, ne sachant pas comment réagir.

— Eh bien, tout est arrangé, déclara Sadie, très sûre d'elle-même. Tout se passera bien pour nous deux.

Elle sourit à Sam et Ronni, puis à tous les autres.

— Je vais retrouver Kenny de l'autre côté, ajouta-t-elle avec un clin d'œil.

Elle partit alors d'un pas traînant.

Laura revenait de la chambre de Vince juste comme Sadie s'en allait.

— N'était-ce pas votre vieille voisine ? demanda-t-elle à Sam et Ronni en s'asseyant.

Ronni fit un signe de tête affirmatif, toujours perplexe devant les paroles de Sadie.

— Elle a dit des choses très étranges. Elle veut prier Dieu de la prendre cette nuit à la place de Vince. Elle est fatiguée de vivre, elle a assez vécu et elle est prête à rejoindre Dieu et son mari défunt au paradis. Juste à temps pour Noël.

Laura souleva un sourcil en regardant les autres dans la pièce.

C'est ce qu'elle a dit ?

— Ne va pas croire tout ce qu'elle raconte, répondit l'un d'eux. Dieu ne travaille pas de cette manière, prenant la vie de l'un à la place de l'autre.

Sam était demeuré silencieux, scrutant attentivement ses mains. Il leva les yeux avant de prendre la parole.

— On n'est jamais sûr de rien avec Dieu, dit-il. Ses voies sont impénétrables. Les Écritures disent que la prière d'un juste est puissante et efficace. Et je ne connais personne d'aussi juste, vraiment juste comme Dieu le souhaite, que Sadie Johnson.

Le silence s'installa à nouveau. Paul médita sur la foi de la femme et son absence de crainte devant la mort. Il n'attendait rien de sa déclaration étrange, mais il sentait que ses paroles contenaient beaucoup de sagesse. La pensée de monter au ciel apportait une joie pure à Sadie Johnson, pas du chagrin ni de la douleur. Pour les gens qui sont aussi près de Dieu qu'elle l'est, la mort n'est qu'un passage vers l'au-delà. Paul se sentit apaisé, comme si la vieille femme avait rendu la mort imminente de Vince plus facile à accepter.

Peu avant minuit, Paul, Laura et plusieurs des autres retournèrent à leur maison pour récupérer un peu de sommeil.

— Nous serons de retour avant le lever du soleil, dit Paul en se penchant pour embrasser sa mère sur la joue. Appelle-nous s'il y a du nouveau.

Ronni acquiesça en hochant la tête. Sam et elle avaient l'intention de s'étendre sur les sofas de la salle d'attente. Vince était leur enfant après tout. Ils voulaient être tout près si Ruth ou Vince avaient besoin d'eux.

Trois heures s'écoulèrent, tandis que Sam et Ronni s'assoupissaient. Chaque fois qu'ils se réveillaient, ils s'informaient de Vince et de Ruth, mais l'état de Vince demeurait toujours critique. Vers six heures le lendemain matin, Paul et Laura revinrent dans la salle d'attente et secouèrent doucement les parents de Paul pour les réveiller.

— Comment va-t-il ? demanda Paul.

— Nous n'avons pas de nouvelles depuis quelques heures, répondit Sam en s'asseyant et en se frottant les yeux. Il doit toujours s'accrocher.

Paul et Laura s'assirent et se tinrent la main, cherchant à se soutenir pour les chagrins que cette nouvelle journée pourrait leur apporter. Ils restèrent dans cette position pendant toute l'heure suivante, tandis que les autres membres de la famille arrivaient seuls ou en couple.

Puis, juste avant huit heures, le médecin de Vince passa la porte, un large sourire éclairant son visage.

— Sa fièvre est tombée, annonça le docteur. Au cours des dernières heures, son état a semblé vouloir s'améliorer et maintenant sa température est presque revenue à la normale. Je ne peux pas expliquer ce qui s'est passé. Je n'ai jamais vu ça auparavant, dit-il avant de faire une pause. Joyeux Noël !

Des larmes de soulagement coulèrent dans les yeux de la famille. Sam se leva du fauteuil pour serrer la main du médecin.

— Merci, docteur, dit-il. Est-ce que ça signifie qu'il va s'en sortir ?

— C'est un nouvel homme aujourd'hui, monsieur Jacobs. Je crois que ça va bien aller.

Le docteur sortit et les membres de la famille Jacobs se rassirent, soulagés et reconnaissants.

— Merci, mon Dieu, dit Ronni. Merci Seigneur d'avoir écouté nos prières.

Lorsque le sujet des prières fut évoqué, plusieurs pensèrent à Sadie Johnson et se dressèrent sur leur chaise, échangeant des regards.

— Papa, est-ce que tu penses que cela a quelque chose à voir avec ce que madame Johnson a dit hier soir ? demanda Paul les yeux grands ouverts.

— Bien sûr que non, se moqua Sam. Dieu n'était pas prêt à prendre Vince, c'est tout.

42

Paul hocha la tête, mais sa curiosité prit le dessus. Il s'excusa.

— Je vais marcher un peu. Je reviens.

Laura le regarda partir et savait où il se dirigeait. Elle souhaitait que madame Johnson soit heureuse d'apprendre la nouvelle de la guérison de Vince.

Une fois dans le couloir, Paul marcha vers l'accueil et demanda où se trouvait Sadie Johnson.

— Elle se trouve au troisième étage, répondit la réceptionniste. Chambre 325.

Paul remercia la dame et prit l'ascenseur jusqu'au troisième étage. Il s'approcha du poste de garde et attendit que quelqu'un remarque sa présence.

— Est-ce qu'on peut vous aider, monsieur ? demanda une infirmière.

Paul jeta un coup d'œil à son insigne et s'aperçut qu'elle était l'infirmière chef du département.

— Oui madame, je cherche notre voisine, madame Sadie Johnson. Elle est une amie de la famille. Je crois qu'elle se trouve dans la chambre 325.

— Je suis désolée, monsieur, répondit-elle en baissant les yeux, se demandant si elle devait lui apprendre ou non la nouvelle. Madame Johnson est décédée il y a quelques heures.

Paul fut cloué sur place, renversé par la tournure des événements.

— Mais je croyais qu'elle venait pour des tests de routine.

— C'est bien vrai, monsieur, dit l'infirmière en abaissant son calepin et en fronçant les sourcils. Mais son cœur a cessé de battre il y a quelques heures. Nous avons essayé de la réanimer pendant quelque temps, mais sans succès. Je suis désolée.

Paul remercia l'infirmière et retourna vers l'ascenseur. Il avait l'impression d'être dans un rêve, tandis qu'il retournait dans la salle d'attente au rez-de-chaussée. Lorsqu'il entra dans la pièce, les autres remarquèrent son air abasourdi et se turent.

— Qu'est-ce qui se passe, Paul ? demanda Sam, inquiet que l'état de Vince puisse s'être de nouveau détérioré.

— C'est madame Johnson, papa, répondit Paul tristement. Elle est morte. Elle est morte il y a quelques

heures, juste quand Vince s'est rétabli.

44

— C'est impossible, coupa Ronni. Madame Johnson ne venait que pour des tests de routine.

— L'infirmière m'a dit que son cœur avait cessé de battre, répondit Paul. Elle est allée se coucher hier soir et elle est morte dans son sommeil.

La pièce devint silencieuse, chacun méditant la vérité stupéfiante. Sadie Johnson avait prié pour que Vince vive, demandant à Dieu de la laisser partir à sa place. Maintenant, l'impensable s'était produit et les médecins n'avaient pas plus d'explications pour la guérison de Vince que pour la mort de Sadie.

— Pensez-vous que ce qui est arrivé était une réponse aux prières de Sadie ? demanda Paul en scrutant les autres visages incrédules dans la pièce.

Pendant un moment, personne ne dit un seul mot. Puis Sam se redressa et secoua pensivement sa tête.

— Eh bien, mon garçon, je pense que personne ne peut nier ce qui s'est passé au cours des dernières heures. Aussi vrai que je me tiens ici aujourd'hui. Je suis convaincu que Sadie est retournée dans sa chambre et qu'elle a prié le Dieu miséricordieux de la prendre et de laisser vivre Vince.

Il regarda les autres avant de poursuivre :

— C'est ce qui s'est finalement produit. Ils seront chacun à la maison pour Noël, ajouta-t-il avec un sourire triste. C'est ce que nous disions hier. La prière d'un juste est puissante et efficace. Peu importe ce qui nous arrive, n'oublions jamais cela. Puisque c'est peut-être la seule explication que nous aurons jamais pour tout ce qui s'est passé ici.

Le cadeau de Jessica

*D*ans une maison modeste du centre-ville située derrière le bureau de poste, à Cottonwood, en Arizona, vivait une petite fille nommée Jessica Warner. En apparence, il n'y avait rien d'inhabituel chez Jessica. Elle avait cinq ans, des boucles blondes et des yeux bleus qui pétillaient de bonheur. Son sourire illuminait la pièce où elle se trouvait, même dans une ville où le soleil brillait presque chaque jour de l'année. Elle avait une poupée nommée Molly, qui avait été aimée et cajolée jusqu'à tomber en miettes et à être toute tachée.

La famille Warner adorait la vie à Cottonwood. C'était une ville où les parents bavardaient pendant les parties de soccer la fin de semaine et où les gens se saluaient les uns les autres en déambulant sur la rue principale, qu'ils se connaissent ou non. Joe Anderson, le barbier, et Steven Simmons, le propriétaire de la quincaillerie, avaient dans leur vitrine des banderoles qui proclamaient « Mingus champions », pour encourager l'équipe de football de l'école secondaire Mingus, qui luttait chaque année pour remporter le championnat d'État. C'était une ville où les gens ne verrouillaient jamais leurs portes, où les enfants jouaient en toute sécurité dans la cour et où les adolescents se plaignaient de n'avoir rien à faire.

Même si les changements de saison n'étaient pas aussi apparents à Cottonwood qu'ils pourraient l'être dans le Midwest ou dans une ville portuaire de l'océan Atlantique, les Warner appréciaient leurs variations subtiles : les jours de printemps brillants quand le soleil se mirait sur les pierres rouges de Sedona, la chaleur de l'été quand la mousson se glissait dans la vallée Verde, et l'automne, quand le vent faisait du bruit et que se déroulait le Festival d'automne annuel.

C'était comme si, au cours de l'année, les mois formaient un long crescendo pour aboutir à la saison favorite des Warner : le temps des fêtes, quand la ville de Cottonwood, située dans le désert, prenait miraculeusement vie, comme Bethléem l'avait fait deux mille ans plus tôt.

L'arrivée officielle de la saison de Noël était chaque année soulignée par le rituel du maire et du shérif grimpant l'échelle de la voiture de pompier d'Ernie Gray et attachant la banderole « Joyeuses fêtes » au-dessus de la rue principale. Entre cette cérémonie et la parade de Noël, débutait un concours non officiel de décoration de maisons qui était habituellement gagné par quelqu'un du quartier chic au sommet de l'auto-route 269, pas très loin de Quail Springs au pied de la montagne Mingus.

La mère de Jessica, Cindy, savait qu'ils n'avaient pas les moyens d'égaler les décorations de Quail Springs, mais ils décoraient leur maison quand même.

Du moins, ils avaient l'habitude de le faire.

Tandis que Noël approchait, il était clair pour tous les habitants de la demeure Warner que ce serait diffé-rent cette année. Ainsi, quand la banderole fut tendue au-dessus de la rue principale, Jessica commença à réciter une prière spéciale à voix haute dans son lit la nuit. Longtemps après avoir dit bonne nuit et avoir été embrassée — séparément — par ses parents, Jessica fermait ses yeux et levait une main haut au-dessus de sa tête, tentant d'atteindre Dieu.

— Cher Dieu, murmurait-elle, je ne veux pas en parler à papa et maman, alors écoutez bien. C'est le temps de Noël et c'est le temps où vous écoutez les prières des petites filles. C'est mon professeur qui me l'a dit. Voici ma prière : faites que maman et papa s'ai-ment à nouveau.

Bien qu'ils ne fréquentaient plus les églises et que les prières n'étaient pas coutume dans la résidence Warner, la petite Jessica répéta la même prière tous les soirs cette année-là. De cette manière, elle ressemblait

49

à tous les petits garçons et les petites filles au pays qui prient pour que leurs parents s'aiment.

Mais Jessica était aussi un peu différente. Ce petit amour ne pouvait ni courir, ni sauter à la corde, ni jouer à la marelle avec ses amies. Elle ne pouvait pas non plus danser ou jouer à cache-cache, ou faire de course à trois jambes.

Elle ne pouvait même pas marcher.

Jessica souffrait de paralysie cérébrale.

C'était quelque chose que les habitants de Cottonwood savaient et comprenaient. Quelque chose qui les amenait à veiller sur la petite Jessica, à dévier de leur route pour la saluer au marché Smith ou pour ébouriffer ses jolies boucles blondes en passant, tout en lui rappelant que seuls les anges étaient aussi beaux qu'elle.

50

Jessica était comme un phénomène à Cottonwood et les gens qui y vivaient se sentaient privilégiés de la connaître. L'enfant était trop jeune pour le comprendre, mais Cottonwood était sa maison, sa ville. Et Steve et Cindy Warner savaient que leur fille ne voudrait pas vivre ailleurs, même pour tout l'or du monde.

Cette année-là, peu après l'installation de la banderole, Jessica demanda à sa mère pourquoi ses jambes ne fonctionnaient pas comme celles des autres enfants. Cindy se pencha et serra très fort sa fille, sa poitrine sautillant, tandis qu'elle essayait de contenir ses pleurs. Doucement, elle conduisit Jessica jusqu'au sofa du salon.

— J'aimerais te raconter une histoire, mon ange, d'accord ? dit Cindy en caressant les cheveux soyeux de Jessica.

La petite fille acquiesça et serra plus fort sa poupée Molly.

— Une histoire sur moi, maman ?

— Oui, Jessie, une histoire sur toi, répondit Cindy en réprimant ses larmes. À propos de ce qui s'est passé à ta naissance.

Alors, Cindy raconta à sa fille qu'elle était née un peu à l'avance, avant d'être tout à fait prête. Les médecins avaient essayé de retarder le travail, mais sans résultat. Jessica Marie était née dix semaines avant terme, luttant pour chaque respiration. Trois mois plus tard, lorsqu'elle eut pris assez de poids pour revenir à la maison, son médecin avait donné un avertissement : « Je suis presque certain que Jessica souffre d'une forme de paralysie cérébrale. Ce n'est pas une maladie dont elle pourra guérir. Mais il y a des choses à faire pour améliorer son état. »

— Tu es une petite fille très spéciale, Jessica, reprit Cindy après une pause. Dieu me l'a dit le jour où il t'a donnée à moi.

Cindy garda le reste de l'histoire pour elle. Comment la première année Steve et elle avaient refusé de parler de leurs craintes et comment ils avaient blâmé le faible poids de Jessica à la naissance quand elle ne roulait pas, ne se redressait pas et ne rampait pas comme les autres bébés de son âge. Comment ils avaient refusé d'accepter pendant des jours, des mois, des années, l'état de santé de Jessica.

Ils cessèrent d'amener Jessica à l'église après son premier anniversaire pour éviter les commentaires et les questions des amis.

C'était l'année où Steve avait acheté une paire de chaussons de ballet roses et les avait accrochés au-dessus de la couchette de Jessica.

— Tu es ma petite princesse, avait-il murmuré à l'enfant qui dormait. Un jour, tu danseras dans la chambre pour moi, mon ange.

Mais les médecins avertirent les Warner qu'il n'y aurait pas de danse pour Jessica. La paralysie cérébrale n'affectait pas son esprit, mais grevait sévèrement ses capacités motrices. Il lui faudrait utiliser un déambulateur lorsqu'elle irait à la maternelle.

Quand la gravité du handicap de Jessica devint évidente, Cindy quitta son emploi pour rester à la maison et travailler avec sa fille. Elle l'aida à faire du stretching et des exercices pendant des heures, jusqu'à ce que les deux soient complètement épuisées.

— Tu perds ton temps, lui disait Steve. Elle n'a pas besoin de tous ces exercices, Cindy. Elle surmontera son handicap, tu verras.

Ils continuèrent de la sorte. Les journées de Cindy s'écoulaient à aider Jessica à apprendre à vivre avec la paralysie cérébrale. Steve passait les siennes à nier qu'elle en souffrait. Pire que tout, au milieu de leurs existences tristes, leur amour pour Dieu se tiédit et s'amenuisa. Le seul membre de la famille Warner qui écoutait les paroles de la Bible et qui priait Jésus était Jessica. Après son second anniversaire, elle avait commencé à fréquenter l'église tous les dimanches avec ses grands-parents.

Les années avaient passé lentement, et autant que Steve et Cindy purent le constater, l'état de Jessica ne s'était que peu amélioré. Quelques jours avant son cinquième anniversaire, elle avait appris à étirer ses genoux et à ramper sur le sol dans une succession de mouvements courts et saccadés. C'était une victoire, même si elle était mince, et Steve et Cindy avaient partagé l'excitation de Jessica.

— Tu es ma petite fille, lui avait dit Steve. Un jour, tu surmonteras cette paralysie cérébrale et tu porteras des chaussons de ballerine.

Plus tard dans la journée, lorsque Jessica fut endormie, Cindy fondit en larmes.

— Ses progrès sont si lents, admit-elle. Je lui ai fait faire tous ces exercices, tous ces étirements. J'ai surveillé son alimentation et lu tous les livres sur la question. J'ai fait tout ce que j'ai pu. Pourquoi ne fait-elle pas plus de progrès ?

— Je te l'ai dit, Cindy. Tu dois être patiente. Elle surmontera tout ça quand elle sera plus grande.

— Elle n'arrivera pas à le surmonter, Steve, lui cria-t-elle. Si nous travaillons avec elle, elle peut progresser. Mais tu ne passeras pas cette porte un soir pour la voir dans ses satanés chaussons de ballerine. Ne comprends-tu pas ?

Steve ne comprenait pas. Après cette soirée, ils ne cessèrent de s'éloigner. Ils ne communiquaient que lorsque c'était nécessaire et avait formé des réseaux sociaux parallèles. Cindy avait adhéré à un groupe de soutien pour la paralysie cérébrale et avait finalement trouvé la compréhension dont elle avait besoin. Les membres du groupe de soutien ne niaient pas les problèmes de Jessica, mais tentaient d'y trouver des solutions.

Pendant ce temps, Steve avait obtenu une promotion qui l'amenait à organiser des événements après les heures de travail. Ses collègues de travail étaient enjoués et optimistes, et Steve était souvent le moteur de la fête. Il les appréciait parce qu'ils ignoraient le problème de Jessica et ne parlaient jamais de paralysie cérébrale, de coordination musculaire, de groupes de soutien ou d'exercices quotidiens.

Souvent, des semaines entières s'écoulaient sans que Steve et Cindy se voient plus que quelques minutes à la fois, se croisant silencieusement comme des fantômes dans les couloirs de la résidence Warner.

C'est au cours de sa quatrième année d'existence que Jessica s'aperçut que quelque chose n'allait pas entre sa maman et son papa. Ils ne s'embrassaient pas, ne s'étreignaient pas et ne se tenaient pas les mains comme les autres parents. À ce Noël-là, Jessica comprit qu'il n'y avait qu'une réponse à ses interrogations. Ainsi, toutes les nuits avant de s'endormir, Jessica murmurait sa prière simple, demandant à Dieu d'aider

54

sa maman et son papa à s'aimer mutuellement. Mais cela n'avait pas semblé fonctionner.

Finalement, deux semaines avant Noël, Steve prit doucement la main de Cindy dans la sienne et scruta son visage.

— Ça ne va plus très bien entre nous, n'est-ce pas ? lui demanda-t-il.

Des larmes jaillirent des yeux de Cindy, mais son regard demeura rivé sur Steve.

— Non, ça ne va plus très bien.

— Je vais parler à un avocat spécialisé dans les causes de divorce, proposa doucement Steve. Mais attendons après Noël. Par égard pour Jessica.

Comme pour la plupart des enfants, Jessica pouvait dire quand les choses allaient moins bien entre ses parents. Elle en parlait avec Molly, sa poupée adorée.

— J'ai demandé à Dieu de faire en sorte qu'ils s'aiment, lui disait-elle. Mais ils ne sont plus très gentils l'un avec l'autre. J'ai peur, Molly. J'ai très peur.

Pendant le souper un soir, Jessica rompit le silence.

— S'il vous plaît, est-ce que nous pourrions aller à l'église ensemble ce dimanche ? demanda-t-elle. Le prêtre va raconter l'histoire de Noël et il a dit que toute la famille était invitée.

Steve et Cindy échangèrent un regard froid puis détournèrent les yeux, embarrassés. Steve s'éclaircit la gorge.

— Oui, mon cœur, ce sera très bien, dit-il. Nous irons tous à la messe ce dimanche. Comme une famille.

Lorsque dimanche arriva, ils habillèrent Jessica d'une robe de satin blanc et s'assirent près d'elle pour la première fois depuis des années. Le service réunissait toutes les églises chrétiennes de la ville et se tenait à l'amphithéâtre de l'école secondaire comme à tous les ans. Le message en était un d'espoir et de joie, l'histoire du Christ né pour racheter tous les péchés du monde. C'était un message de vérité et de foi, et dans leur prison individuelle de douleur, Steve et Cindy réalisèrent silencieusement qu'ils avaient fait une erreur en s'éloignant de la religion.

— Dieu nous a fait le plus merveilleux des cadeaux, un cadeau d'amour pur enveloppé de chair et d'os, son propre fils, proclamait le pasteur d'une voix claire. Mais vous, qu'allez-vous donner au Sauveur cette année ?

Le silence emplit l'amphithéâtre.

Timidement, Steve fit glisser un doigt sur les jambes raides de Jessica. Le pasteur continua :

— Je vous exhorte à prendre du temps dans les jours qui viennent et à déposer un cadeau aux pieds du Sauveur. Quelque chose que vous aimez… ou quelque chose que vous devez laisser. Quelque chose qui aurait peut-être dû être laissé là depuis des années.

Sur le chemin du retour, Jessica se tourna vers son père.

— L'as-tu entendu, papa ? demanda-t-elle. Il a dit que l'amour était le plus merveilleux des cadeaux.

— Bien sûr, mon cœur, répondit Steve en fixant la route devant lui.

56

— C'est ce que je vais obtenir pour toi et maman cette année, annonça-t-elle joyeusement. Une tonne d'amour.

Jessica réfléchit un moment avant de poursuivre :

— Le pasteur a aussi demandé de donner quelque chose à Jésus, quelque chose que l'on aime vraiment. N'est-ce pas, maman ?

— C'est exact, chérie.

Steve et Cindy oublièrent les propos de Jessica jusqu'au lendemain matin, alors qu'ils se préparaient pour leur journée. Steve d'abord, puis Cindy, remarquèrent quelque chose près de la crèche dans le salon. C'était Molly, la précieuse poupée de Jessica. Elle l'avait tendrement déposée aux pieds de l'enfant Jésus.

Cet après-midi-là, pendant que Steve était au travail, Cindy observa Jessica faire sa sieste. Quel était le message véritable du pasteur ? se demandait-elle. Si l'amour était un si merveilleux cadeau, pourquoi son mariage périclitait-il ? Pourquoi Jessica souffrait-elle de paralysie cérébrale ? L'enfant aimait suffisamment Dieu pour lui donner sa poupée Molly. Mais qu'est-ce que Dieu avait fait pour elle, pour chacun d'entre eux ?

Cindy revint dans le salon, s'assit et écouta les chants de Noël obsédants qui jouaient à la radio. Elle voulait croire, mais la même pensée revenait sans cesse. Qu'est-ce que l'enfant Jésus avait fait pour eux ?

Lorsque Steve revint tard ce soir-là, Cindy était déjà au lit. Mais avant qu'il se glisse sous les couvertures, elle le sentit faire quelque chose qu'il n'avait pas fait depuis des mois. Il s'était penché sur elle et lui avait donné un baiser de bonne nuit.

Le jour suivant, la veille de Noël, Steve était parti travailler quand Cindy se leva. Elle sortit du lit et prépara le petit déjeuner pour Jessica. Elle l'aida ensuite à faire deux heures d'étirements et d'exercices. C'est alors, juste avant l'heure du déjeuner, qu'elle remarqua quelque chose de nouveau devant la crèche. La poupée Molly était partie et il y avait une enveloppe Manille aux pieds de Jésus.

Avec curiosité, Cindy s'approcha et prit l'enveloppe dans ses mains. Dessus, il y avait un message écrit à la main par Steve : « Seigneur, je dépose quelque chose à tes pieds. Quelque chose que j'aime vraiment. Je vous le jure : à partir de maintenant, je vais accepter Jessica telle qu'elle est. J'ai été horriblement injuste avec ma famille en pensant qu'elle serait un jour différente de ce que vous l'aviez faite. Je le comprends maintenant. Jessica ne peut apprendre à vivre avec sa paralysie cérébrale que si je l'accepte d'abord. » Cindy ouvrit l'enveloppe et découvrit les chaussons de ballet roses qui n'avaient jamais servi, qui avaient été cloués sur les murs de la chambre de Jessica pendant quatre ans.

Cindy agrippa les chaussons et laissa ses larmes jaillir. Elle pleurait parce que sa petite fille ne les porterait jamais, qu'elle ne danserait jamais comme son père l'aurait souhaité. Mais elle pleurait aussi parce que Steve était finalement prêt à accepter la vérité, qu'il serait peut-être aussi prêt à travailler avec elle et non contre elle. Peut-être y avait-il de l'espoir après tout.

Elle essuya ses larmes, regarda la figurine de l'enfant Jésus et la réponse à sa question devint soudainement claire. Jésus leur avait fait don de sa personne. Grâce à lui, ils pourraient apprendre à aimer de nouveau. Avec lui, ils pourraient survivre en tant que famille. À travers lui, ils pourraient vivre éternellement dans un endroit où Jessica pourrait courir, jouer et sauter avec les autres enfants.

Cindy tomba à genoux et se prit la tête.

— Pardonnez-moi, Seigneur…

Et tandis qu'elle se tenait là, elle se demanda ce qu'une femme imparfaite comme elle pourrait donner à une personne aussi Sainte.

Ses larmes ralentirent et elle avança à pas feutrés jusqu'à la chambre de Jessica où elle l'observa pendant sa sieste. Cette fois, elle n'éprouva aucun ressentiment envers Dieu en regardant la petite fille. Des boucles dorées encadraient son joli visage sur lequel Cindy ne lisait que paix et joie. Elle sentit une lumière naître dans son cœur. À ce moment, de tout son être, elle savait ce qu'elle allait donner à Jésus.

Cette nuit-là, quand Steve revint à la maison, tout était noir sauf les lumières qui éclairaient la crèche. Il observa les figurines qui entouraient l'enfant Jésus et s'aperçut que son enveloppe était partie. Il y avait à la place une autre enveloppe plus petite et blanche. Steve traversa la pièce, déposa son pardessus et sa mallette et passa un doigt sous le rabat. À l'intérieur, il y avait une feuille de papier et quelque chose de petit enveloppé dans une étoffe. Lorsqu'il lut la note manuscrite, Steve sentit les larmes lui monter aux yeux.

« Cher Seigneur, je vous redonne ce que vous m'aviez donné il y a cinq ans. Je m'y suis accrochée trop fort, Seigneur, oubliant que ce cadeau précieux n'était pas tout à fait à moi. J'ai laissé un autre enfant prendre la place de celui qui reposait dans une mangeoire par cette nuit froide à Bethléem. Depuis, l'amour a déserté notre demeure. Je suis désolée, Seigneur. J'ai essayé d'en faire autre chose que ce que vous aviez fait. Je l'aimerai toujours, mais je comprends maintenant qu'elle ne m'appartient pas. Elle vous appartient. Maintenant et jusqu'à la fin des temps. »

Steve écarta les coins de l'étoffe et découvrit une petite photo de Jessica.

Steve entendit quelque chose et se retourna. Cindy le regardait dans l'embrasure de la porte, Jessica perchée sur sa hanche. Ses yeux luisaient de larmes et Steve se dirigea vers elle, l'enlaçant tendrement, pendant que Jessica les entourait de ses bras.

— Nous ne pouvons pas tout laisser tomber, murmura-t-il. Surtout quand nous n'avons pas tout essayé. Je suis prêt à travailler avec toi, Cindy.

Elle fit un mouvement affirmatif de la tête, refoulant un sanglot.

— Tous mes efforts et toutes tes dénégations, dit-elle. Nous avons presque manqué la vérité. Quand elle a mis Molly aux pieds de Jésus… Steve, elle est parfaite comme elle est. Elle aime mieux qu'aucun de nous deux. Elle m'a rappelé tout ce que Dieu avait fait pour moi, pour nous.

— C'était son cadeau de Noël pour nous, n'est-ce pas mon cœur ? dit Steve en soulevant le menton de Jessica pour l'embrasser sur le front.

Jessica approuva et sourit, d'abord à son père, puis à la figurine de l'enfant Jésus dans la crèche. Elle ne comprit pas tout ce qui s'était passé entre ses parents et Dieu à ce Noël. Elle sentait seulement que Cottonwood ressemblait un peu au paradis cette semaine-là, parce que ses prières avaient été exaucées. Le pasteur avait raison.

L'amour est le miracle de Noël le plus merveilleux.

Le toucher divin

Nouvellement mariés et fraîchement diplômés du collège biblique, Ashley et Bill Larson projetaient de devenir missionnaires en Afrique. Ils passèrent l'année suivante à prendre des cours sur la diète africaine, les processus de socialisation et autres points importants qui les aideraient pendant leurs quatre années d'œuvre missionnaire sur un autre continent.

Quand ils eurent pratiquement terminé leur formation et qu'on leur eut déjà confié un poste dans une région tribale éloignée, Bill eut une idée. Il avait reçu une éducation biblique et connaissait très bien le message qu'Ashley et lui allaient transmettre dans les tribus. Mais il n'avait jamais étudié le pouvoir de guérison par la prière.

— Je pense que je vais suivre ce cours, annonça Bill à son épouse un après-midi.

— Pourquoi pas ? répondit Ashley en faisant un mouvement de la tête et en haussant les épaules.

Ils discutèrent du cours tous les deux. Ashley, qui était enceinte de leur premier enfant, décida qu'elle n'avait pas de temps pour ce travail additionnel. Mais Bill demeurait intrigué. Il allait parler aux gens de l'amour de Dieu, mais il devait aussi se préparer à leur parler de son pouvoir de guérison.

Élevé dans l'église chrétienne et versé dans les Écritures, Bill n'avait pas beaucoup d'estime pour les prédicateurs qui faisaient des démonstrations de guérison. Plusieurs d'entre eux se sont avérés être des charlatans. Pire encore, certains étaient finalement des escrocs qui cherchaient à obtenir de l'argent par la ruse. Considérer le véritable pouvoir de guérison de Dieu était quelque chose de nouveau pour Bill.

Il commença à suivre son cours à peu près en même temps qu'Ashley consultait son médecin pour une douleur persistante au bas du dos.

— J'ai bien peur d'avoir de mauvaises nouvelles pour vous, madame Larson, annonça le docteur après avoir terminé son examen. Les rayons X montrent un début de scoliose.

Le docteur expliqua que la scoliose était un trouble qui entraînait une déviation de la colonne vertébrale, forçant le corps à se voûter sévèrement et causant une douleur affreuse à ses victimes. Quand la maladie apparaît chez un enfant, elle peut être soignée avec une

série d'appareils orthopédiques pendant que le sque-
lette de l'enfant se développe encore. Toutefois, quand
elle touche un adulte, il n'y a rien qu'on puisse faire.

— Qu'est-ce qui m'attend ? demanda Ashley en
réprimant ses larmes.

Le diagnostic était catastrophique. Bill et elle
avaient tellement de projets pour le futur. Si elle
voulait être assez forte pour porter des enfants et vivre
la vie rude d'un missionnaire en Afrique, elle avait
besoin d'un bon dos.

— La douleur que vous ressentez ira en s'aggra-
vant. Au cours des deux prochaines années, vous
devriez remarquer la courbure dans votre dos. Je suis
désolé.

Ashley hocha la tête en signe de résignation et
rentra pour partager la triste nouvelle avec Bill. Il com-
patit à sa douleur, puis lui raconta sa journée. Il avait
eu deux cours de guérison par la prière. Il lui raconta
qu'il avait été impressionné par les histoires qu'il avait
entendues. Pas des histoires de guérison de foires ou
de miracles télévisés, mais des histoires simples de
changements d'état qui, selon lui, pouvaient être consi-
dérés comme des miracles modernes. Noël était dans
deux jours et Bill était submergé par la présence de
Dieu dans leurs vies. Comment pourraient-ils douter
que le Seigneur puisse guérir, qu'il puisse accomplir
un miracle ? Et quel meilleur temps pour demander un
miracle que pendant la semaine de Noël ? Quand le
plus grand des miracles s'était produit il y a deux mille
ans.

Cette nuit-là, avant qu'ils s'endorment, Bill s'assit dans le lit et parla à Ashley dans l'obscurité de la pièce.

— Est-ce que cela te dérangerait si je priais pour ton dos, Ashley ?

— Non, est-ce qu'il faut que je bouge ? répondit Ashley en haussant les épaules, presque endormie.

— Non. Tu es très bien comme ça.

Ashley était couchée sur le côté, une position qui soulageait la douleur dans son dos. Tandis qu'elle sombrait dans le sommeil, Bill passa trente minutes les mains jointes au-dessus de son dos à prier Dieu de guérir son mal.

Il continua cette routine toutes les nuits pendant la semaine de Noël. Juste avant qu'ils se préparent à dormir, il s'asseyait, plaçait ses mains au-dessus du dos d'Ashley et priait Dieu de guérir spécifiquement sa scoliose. La septième nuit, quelque chose d'étrange se produisit.

Bill avait prié pour son épouse pendant dix minutes avant de prendre soudainement la parole.

— Ashley ?

— Oui ?

Elle était toujours éveillée.

— Est-ce que tu sens quelque chose ?

— Juste ta main qui suit ma colonne vertébrale de haut en bas.

Les yeux de Bill s'agrandirent de surprise.

— Ashley, je n'ai pas touché ton dos !

Ashley se redressa vivement et se retourna pour river son regard sur Bill.

— Ce n'est pas drôle !

— Je suis sérieux, Ashley, répliqua Bill en secouant la tête. Je ne t'ai pas touchée. La raison pour laquelle je t'ai demandé si tu sentais quelque chose, c'est parce que j'avais ma main au-dessus de ton dos et que j'ai senti quelque chose de chaud sous ma main.

— Qu'est-ce que tu penses que c'était ?

— Je ne sais pas. Mais je vais continuer à prier.

— Ça ne peut pas faire de mal, répondit Ashley en bâillant et en se recouchant. Je sais que Dieu peut me guérir s'il le désire. Je ne sais toutefois pas si cela fait partie de ses projets pour nous. Les miracles modernes et tout le reste.

— En passant, comment va ta douleur ? demanda Bill.

Ashley se tut un moment. Elle se rassit.

— Tu sais, je ne la sens plus maintenant.

Il y eut un silence entre eux pendant qu'ils réfléchissaient à la chaleur qui avait passé sur le dos d'Ashley et la sensation d'une main humaine qui se déplaçait le long de sa colonne vertébrale.

— Penses-tu que je pourrais être guérie ? demanda paisiblement Ashley.

— Je pense que nous devrions voir comment tu te sens demain et continuer à prier jusque-là.

Deux semaines plus tard, une fois que Bill et Ashley furent arrivés en avion en Pennsylvanie pour visiter les parents de cette dernière, elle alla voir un docteur qui la connaissait depuis toute petite. Elle avait emmené les rayons X et le diagnostic du médecin précédent. Après avoir examiné le dossier, le docteur confirma le diagnostic : scoliose sévère, qui semblait progresser rapidement.

À la demande d'Ashley, il prescrivit une nouvelle série de rayons X et procéda à un nouvel examen de sa colonne vertébrale.

— Je ne sais pas comment expliquer cela, dit le docteur après son examen. Ashley, il n'y a plus aucun signe de scoliose. Ton dos est parfaitement normal.

Ashley était stupéfaite. Elle se rappela le soir où elle avait senti une main se déplacer doucement dans son dos.

— Est-ce que le processus aurait pu s'inverser de lui-même ? demanda-t-elle au docteur afin de bien comprendre ce qui se passait.

— Non, répondit-il en tenant les films devant la lumière et en secouant la tête. Pour quelqu'un qui avait une scoliose aussi grave que la tienne, il devrait rester des tissus cicatriciels, même si le processus s'était inversé.

— Comment expliquez-vous cela ?

Le docteur reposa les rayons X sur une table adjacente et sourit à Ashley.

— J'ai appris au fil des ans qu'il y a certaines choses que nous ne sommes pas capables d'expliquer quand nous parlons de guérisons médicales. J'aime les appeler miracles.

Ashley raconta au docteur l'incident qui s'était déroulé quelques semaines plus tôt, lorsque Bill avait prié pendant la période de Noël et qu'elle avait senti une main sur sa colonne pendant qu'il sentait une chaleur passer sous sa main. À la surprise d'Ashley, le docteur fit un signe affirmatif de la tête.

— Oui, quand nous entendons parler de ce genre de choses, ce qui n'arrive pas souvent, il y a souvent une chaleur qui y est associée. Ça ne demande pas un grand acte de foi de ma part. Après tout, le corps humain est un miracle ambulant. Que notre Créateur continue à accomplir des miracles en nous est à mon avis tout à fait probable.

Quelques mois plus tard, Ashley et Bill partirent pour l'Afrique. Ils étaient en bonne santé et respectueux du genre de prières auxquelles Dieu répondait sous forme de guérison miraculeuse. Ils ressentaient une gratitude profonde pour les deux cadeaux de Noël du Seigneur : la colonne vertébrale guérie de Ashley et la capacité d'accomplir leur mission en sachant que la Bible disait vrai. Rien n'est impossible avec Dieu.

À la maison pour Noël

*B*arbara Oliver était la seule de ses frères et sœurs qui semblait ne jamais pouvoir s'intégrer. Quand ses quatre sœurs faisaient du sport avec leur seul frère, elle demeurait toujours à part. Lorsque les filles vieillirent et commencèrent à fréquenter les garçons, Barbara restait à la maison à regarder la télévision ; elle se sentait trop timide et laide pour aller avec les garçons de son âge.

Elle luttait avec son poids et s'asseyait souvent seule pendant les réunions familiales, se sentant trop intimidée pour participer. C'est pourquoi ses pairs, et même sa famille immédiate, l'oubliaient souvent, trouvant plus facile de vivre leur propre vie que de prendre le temps de comprendre pourquoi Barbara était si réservée.

Durant ces années de formation cruciales, Barbara sembla n'avoir pas beaucoup de jugement ni même de bonnes manières. Mais il y avait à l'intérieur une jeune femme débordante du désir d'être aimée et cajolée. C'est pour cette raison qu'à partir du moment où elle a été capable de marcher, elle a idolâtré les deux hommes qui partageaient sa vie : son frère, Lou, et son père, Hank.

Hank Oliver était médecin lorsque sa famille grandit à Glenview, une petite localité en Illinois. Il était le type de praticien qui faisait encore des visites à domicile et qui permettait à ses patients de le payer comme ils pouvaient — même si cela représentait un sac plein de légumes pour une visite. Il avait les tarifs les plus bas en ville, et tandis que les autres médecins se contentaient de rédiger des prescriptions, il tentait d'enseigner aux gens les bienfaits de l'alimentation et les mesures préventives pour améliorer leur santé.

Tout le monde en ville aimait le Docteur Hank, comme ils le nommaient. Ce sentiment était réciproque et il passait souvent sept jours par semaine à exercer sa profession. Une poignée seulement de personnes se demandaient si le Docteur Hank les aimait, et elles se trouvaient sous son propre toit.

— Lou, il est parti si souvent, est-ce que tu penses qu'il nous aime vraiment ou non ? demanda Barbara à son frère, alors qu'ils étaient encore de jeunes adolescents.

Lou baissa les yeux et fixa le gant de baseball dans ses mains. Son père lui avait promis de jouer à la balle avec lui cette journée-là, mais encore une fois, il avait reçu un appel d'urgence.

— Ouais, je vois ce que tu veux dire, répondit-il après un moment. S'il nous aime, pourquoi ne passe-t-il pas plus de temps avec nous ? Il faudrait qu'il ait envie d'être avec nous plus qu'avec ses patients.

Hank était un homme si bon, si chaleureux, que les enfants se sentaient injustes de lui adresser des reproches. Mais ils s'ennuyaient quand même de leur père et continuèrent à se demander combien il les aimait.

Les années passèrent et la santé de Hank déclina rapidement. On lui avait diagnostiqué des années plus tôt une maladie qui le rendait sujet aux attaques. Mais ce n'est que dix ans plus tard que la maladie fit des ravages et qu'il dut abandonner sa pratique.

Il a finalement succombé à sa maladie après avoir fait la paix avec chacun de ses enfants. Jusqu'au dernier jour de sa vie, c'était souvent Barbara et Lou qui se relayaient pour veiller sur lui.

— Qu'allons-nous devenir sans lui ? demanda Barbara à son frère peu après les funérailles. Je ne peux pas imaginer le monde sans lui.

Lou approuva de la tête. Leur famille avait été élevée dans l'amour de Dieu et l'obéissance à ses commandements. Tous savaient que leur père était au ciel. Mais la douleur de sa perte demeurait presque insupportable. Surtout après avoir fini par comprendre, dans les dernières années de leur vie, combien leur père les aimait.

— Je ne sais pas, Barbara, répondit-il en plaçant son bras autour de ses épaules. Mais je sais que ce que papa nous a enseigné est vrai. Il se trouve au ciel, et un jour, nous partirons vivre avec lui et nous serons à nouveau tous réunis. Ce sera tout un retour à la maison, hein ?

Barbara sourit à travers ses larmes.

— Oui, et au ciel il n'aura pas besoin de faire des visites à domicile.

Une dizaine d'années plus tard, tandis que les autres sœurs de Barbara partirent vivre leurs vies, Barbara devint très attachée à son frère Lou. Peu de temps après l'engagement de son frère dans les forces navales, Barbara fit de même. Lorsque Lou termina son service, il se maria, enseigna à l'université et déménagea huit ans plus tard à San Diego, où il entreprit de décrocher un nouveau diplôme d'études supérieures.

74

Après avoir complété son deuxième service dans les forces navales, Barbara déménagea également à San Diego et trouva une maison à quelques kilomètres de celle de Lou. Elle aussi s'inscrivit à l'université.

Lou s'inquiétait du manque d'indépendance de sa sœur.

— Je sais qu'elle veut se marier et fonder sa propre famille, confia un jour Lou à son épouse, Anna. Mais tout ce qu'elle fait, c'est étudier, travailler, et rester à la maison à regarder la télé. Elle ne pourra jamais rencontrer quelqu'un de cette manière.

Anna pencha sa tête pensivement.

— Je pense que cela prend un peu plus de temps avec Barbara. Elle commence à sortir de sa coquille. Quand elle aura son diplôme, elle se sentira nettement plus en confiance. Ne t'en fais pas pour elle.

De plus, ce n'était pas comme si Barbara n'avait pas de famille. Elle en avait une. Au cours des quinze années suivantes, Lou et Anna élevèrent quatre enfants et Barbara participaient à toutes les sorties familiales.

Avec le temps, Barbara obtint une maîtrise en service social. Elle commença à travailler dans un centre de désintoxication pour les alcooliques. Parmi ses patients, il y avait des adultes désespérés autant que des adolescents perturbés. Barbara travaillait avec eux sans compter ses heures.

Comme Barbara s'impliquait de plus en plus avec ses patients, Lou et Anna remarquèrent des changements en elle.

— Tu sais, commença Lou, tandis qu'il faisait la vaisselle avec sa femme, quand nous étions enfants, nous pensions tous qu'il y avait quelque chose qui clochait avec Barbara. Nous pensions qu'elle ne ferait jamais grand-chose, parce qu'elle ne faisait pas les mêmes choses que nous.

Il fit une pause avant de poursuivre :

— Mais ce n'était pas vrai du tout. Elle a fait des études et s'est trouvée un merveilleux travail. Elle redonne espoir à des gens qui l'avait perdu. Pour des dizaines de patients, elle est le meilleur cadeau que Dieu leur ait jamais fait.

— Je te l'ai déjà dit, Lou, répondit chaleureusement Anna, tu t'en fais trop pour Barbara.

— Je m'en fais toujours parce qu'elle n'a pas encore sa propre famille. Tout ce qu'elle a jamais voulu est une famille.

— Elle grandit à son rythme, répondit Anna avec un sourire, en essuyant ses mains sur une serviette et en s'asseyant sur le comptoir. Ce n'est pas comme si elle n'avait pas de famille. Nous sommes sa famille. Mais un de ces jours, quand elle sera prête, quand elle aura rencontré la bonne personne, alors elle fondera sa propre famille. Elle a encore beaucoup de temps devant elle. Attends et tu verras.

Mais quelques années plus tard, on diagnostiqua un cancer du sein à Barbara. À quarante-trois ans, elle était plus jeune que la plupart des femmes touchées par le cancer du sein, c'est pourquoi les médecins étaient optimistes quant à sa guérison. D'abord, ils retirèrent une tumeur de son sein. Puis, quand le cancer se mit à proliférer, ils pratiquèrent une mammectomie. Des traitements de chimiothérapie et de radiothérapie suivirent la chirurgie. Barbara perdit ses cheveux et se sentit très malade.

Elle continua tout de même à travailler, restant à la maison seulement les jours où elle se sentait très souffrante. Quand elle était au travail, elle mettait ses problèmes personnels de côté et se concentrait sur l'aide qu'elle pouvait apporter à ses patients.

— Cette femme est incroyable, s'exclama un jour Anna en observant Barbara préparer le dîner pour sa famille.

Lou observa pensivement sa sœur.

— C'est une battante, c'est sûr. Mais je me fais quand même du souci pour elle.

— À cause du cancer ?

Lou fit un signe affirmatif de la tête.

— Elle a parlé à son médecin hier. Le cancer a migré dans son système lymphatique.

Anna se tint la tête et poussa un soupir. Pendant un certain temps, aucun des deux ne dit un mot. Ils n'avaient pas besoin de parler. Ils savaient ce que ce nouveau diagnostic impliquait. Lorsque le cancer migre dans le système lymphatique, comme il l'avait fait dans le corps de Barbara, le pronostic est trop souvent sombre.

Cela s'était passé au printemps, mais Barbara continua à travailler jusqu'au début novembre, avant de ne plus pouvoir surmonter son mal et de prendre un congé de maladie. Le cancer avait continué à proliférer, passant du système lymphatique à tout son corps. Les médecins ne lui donnaient pas plus de six mois à vivre.

Maintenant, quand Lou visitait Barbara à son appartement, le temps qu'ils passaient ensemble était douloureux.

— Tu dois t'accrocher. Tu dois passer à travers, disait Lou à sa sœur en s'asseyant au pied de son lit ou en lui donnant une gorgée d'eau glacée.

Elle avait perdu beaucoup de poids et sa peau semblait grise et sans vie.

— J'essaie, Lou, je te jure que j'essaie, répondait-elle sans se plaindre de l'effort qu'elle devait fournir pour rassembler ses forces.

Lorsque Lou quittait l'appartement de Barbara, il abaissait souvent sa tête et faisait une prière avant de retourner chez lui.

— Seigneur, je vous en prie, aidez Barbara à surmonter cette terrible maladie. Je prie pour qu'elle vive. Mais s'il est temps pour elle de partir, faites qu'elle souffre le moins possible. Je vous en prie, Seigneur, ne la laissez pas souffrir.

De novembre à décembre, Lou quitta son travail plus tôt pour visiter sa sœur. Mais si son état physique se détériorait visiblement, elle ne restait pas alitée et Lou s'en réjouissait. Après ses visites, il allait chez lui pour le dîner et retournait la voir dans la soirée, lui apportant parfois une assiette de ce qu'ils avaient mangé.

— Cela me chagrine, Anna, confia-t-il à sa femme un matin. Je ne supporte pas de la voir décliner. Un de ces jours, elle sera trop faible pour sortir du lit. Qu'allons-nous faire alors ?

— Eh bien, nous pourrions l'accueillir ici, suggéra Anna après avoir réfléchi un moment.

Lou avait envisagé aussi cette possibilité, mais il avait pensé qu'il serait trop difficile de l'appliquer. Chacune de leurs trois chambres était utilisée et il n'y aurait personne pendant la journée pour s'occuper de

Barbara. Mais il voulait qu'elle se sente la bienvenue. S'il y avait moyen d'arranger la chose, accueillir Barbara était la seule option que Lou veuille vraiment envisager.

Cette semaine-là — deux semaines avant Noël — il parla de son idée à Barbara.

— Pas question, Lou. Jamais de la vie, répondit-elle d'un ton qui se voulait ferme. Anna, les enfants et toi avez été ma famille pendant si longtemps. Vous avez fait tellement pour moi.

Elle continua, luttant pour prononcer chaque mot malgré sa faiblesse.

— Je ne veux pas m'imposer à vous et vous faire tout virer sens dessus dessous dans la maison pour que je puisse aller y mourir.

79

— Ne parle pas comme ça, Barbara, la gronda gentiment Lou. Tu vas t'en sortir. Tu as traversé des moments difficiles, mais tu as toujours combattu. Je veux que tu sois à la maison pour Noël, pour que tu puisses traverser cette épreuve et guérir.

Mais le frère et la sœur savaient qu'il n'y avait rien de vrai dans ces paroles. Cela devint encore plus clair à l'approche de Noël lorsque Barbara devint incapable de quitter son lit, sinon pour une courte période, deux fois par jour.

— Écoute, Barbara, déclara Lou, si tu ne viens pas vivre avec Anna et moi, tu devras aller à l'hospice des vétérans ou à un autre endroit où tu pourras recevoir des soins vingt-quatre heures sur vingt-quatre. Ça me tue de savoir que tu es seule ici et que tu souffres en silence. Particulièrement à l'époque de Noël.

— Je vais bien, insista Barbara. Je peux atteindre mes médicaments et j'ai de l'eau avec moi en tout temps. On me livre des repas et j'ai la nourriture que tu m'amènes. Il y a de la nourriture à profusion. Je n'ai pas besoin d'aide.

Lou n'était pas d'accord et la situation de sa sœur le préoccupait énormément. Il pria cet après-midi-là pour trouver une solution pour Barbara, demandant à Dieu de lui montrer quoi faire pour elle.

— Dieu, vous connaissez son cœur. Je vous prie de la convaincre de laisser tomber son indépendance. Elle a besoin d'aide, Seigneur, et je ne peux lui apporter seul. Je ne veux pas qu'elle vive seule, je vous en prie, aidez-nous à trouver une solution. Aidez-la à accepter de quitter sa demeure si cela est nécessaire. Amen.

Finalement, un après-midi de la même semaine, Lou laissa un message au médecin de Barbara, le Dr Sylvia Sanchez. Il envisageait de demander au médecin de parler à Barbara. Peut-être pourrait-elle la convaincre qu'elle devait quitter son appartement pour recevoir de l'aide.

Le matin suivant, le 22 décembre, le Dr Sanchez retourna l'appel de Lou.

— Oui, c'est le frère de Barbara, dit-il.

— Bonjour, Lou. Nous sommes tous préoccupés par Barbara, dit-elle poliment. Comment puis-je vous aider ?

— D'abord, je vois que les choses empirent rapidement et je me fais du souci pour elle, répondit-il.

— Elle a perdu de la mobilité, expliqua le Dr Sanchez. Mais je pense qu'elle pourra vivre trois mois encore, ou plus.

— C'est pourquoi je vous appelle, docteur. Voyez-vous, je lui ai demandé de venir vivre ici avec ma famille, mais elle ne veut pas. Elle pense qu'elle se débrouillera seule et je n'arrive pas à la faire changer d'idée.

Lou prit une inspiration profonde.

— Je vous appelle parce que je souhaite que vous lui parliez. Si elle ne vient pas vivre avec moi, elle devra aller dans un hospice ou un autre endroit où elle pourra recevoir des soins toute la journée.

Le Dr Sanchez prit un moment pour réfléchir avant de répondre.

— Avez-vous pensé à l'aider à rejoindre son père ? demanda-t-elle.

Le visage de Lou se contracta sous la confusion. Il n'était pas sûr d'avoir bien compris.

— Quoi ?

— Il est peut-être temps qu'elle aille vivre avec votre père, répéta le médecin. Autour d'octobre, j'ai reçu un appel de votre père. Il voulait savoir comment elle allait et connaissait très bien son dossier. J'étais surprise et je lui ai demandé s'il était médecin. Il m'a dit que oui. Cela m'a semblé étrange que Barbara ne m'en ait jamais parlé auparavant. Quoi qu'il en soit, nous avons parlé pendant quelques minutes. Avant de terminer la conversation, il m'a dit qu'il n'avait pas pu passer beaucoup de temps avec Barbara lorsqu'elle était petite.

Le docteur hésita avant de poursuivre.

— Il m'a dit que lorsque les choses iraient vraiment mal, les gens ne devraient pas s'en faire pour Barbara, parce qu'elle irait à la maison pour vivre avec lui à Noël.

Lou ne sut pas quoi répondre.

— Monsieur Oliver ? Êtes-vous encore là ?

Lou s'éclaircit la gorge.

— Dr Sanchez, mon père est mort il y a plusieurs années. Il ne peut pas vous avoir appelée.

— Comme c'est étrange, dit-elle. Attendez un instant.

Il y eut un bruit de papier que l'on tourne, tandis que le Dr Sanchez cherchait le dossier de Barbara.

— Voilà, je l'ai. Voyons voir. Oui, c'est ça. Le 15 octobre, j'ai reçu un appel du Dr Hank Oliver sur mon cellulaire. L'homme a dit être le père de Barbara et que lorsqu'elle arriverait à la fin de sa maladie, elle irait vivre à la maison avec lui.

Lou secoua sa tête, essayant d'éclaircir la situation.

— D'accord, Dr Sanchez, mais mon père est mort depuis presque trente ans. Selon toute évidence, il n'a pu faire cet appel.

— Alors, est-ce que ça pourrait être un oncle, un autre membre de la famille ou un ami ? demanda-t-elle. Comme je vous l'ai dit, la personne connaissait très bien Barbara et sa maladie. Y a-t-il un autre

82

docteur dans la famille ? Je n'ai jamais parlé de cet appel à Barbara parce que je pensais qu'elle en avait parlé avec son père déjà.

Il y eut à nouveau un silence.

— Docteur, êtes-vous sûre que l'homme qui a appelé a dit être le père de Barbara ?

— Sans l'ombre d'un doute. Je me rappelle très clairement de cet appel. Je suis certaine qu'il doit s'agir d'un oncle ou quelque chose comme ça. Quoi qu'il en soit, essayez de vérifier et dites-moi ce qui se passe. Il semble y avoir un membre de la famille qui l'attend à la maison. Pendant ce temps, je vais essayer de convaincre Barbara qu'il serait plus sage qu'elle ne reste plus seule désormais.

— J'aimerais qu'elle vienne à la maison avant Noël, docteur.

— Ne vous en faites pas. Je l'appelle cet après-midi.

Lou raccrocha le téléphone et le fixa d'un regard médusé. Il se demandait qui avait bien pu faire cet appel. Il y avait plusieurs oncles dans la famille Oliver, mais aucun ne connaissait Barbara très bien, et surtout, aucun n'aurait cherché à se faire passer pour son père. En dépit de cela, il passa une bonne partie de la journée à contacter les membres masculins de la famille pour savoir si quelqu'un avait appelé le médecin de Barbara. Avant la fin de la soirée, il avait appris qu'aucun d'entre eux ne savait rien à propos de cette histoire.

83

Il se rappela soudainement sa prière. Il avait demandé à Dieu d'arranger les choses. Il savait maintenant que le Dr Sanchez avait reçu un appel d'une personne qui prétendait être Hank Oliver. Était-il possible que Dieu ait répondu à ses prières en lui faisant savoir que Barbara irait à la maison au ciel, où elle rejoindrait son père ?

Lou raconta à Anna ce qui s'était passé. Elle pensa, elle aussi, que c'était une chose possible. Peut-être, dit-elle, que l'appel était la façon que Dieu avait utilisée pour leur faire savoir que Barbara se dirigeait vers une vie meilleure.

— Mais cela ne nous aide pas maintenant, ajoutat-elle. Nous ne savons toujours pas où elle devra vivre pendant les trois prochains mois, jusqu'à sa mort. Noël est dans deux jours. Il lui faut un endroit où vivre, Lou.

— Je sais. C'est la partie étrange. Si c'est une réponse à notre prière, que devons-nous faire pour les trois prochains mois ?

La réponse vint trop rapidement.

Tôt la veille de Noël — le lendemain du jour où Barbara eut accepté d'aller vivre avec Lou et Anna —, elle mourut paisiblement dans son sommeil. Elle avait été complètement alitée pendant seulement deux jours.

Le Dr Sanchez et les autres médecins furent stupéfaits d'apprendre la nouvelle. Bien qu'elle ait été mourante, ils pensaient qu'il restait à Barbara au moins trois mois à vivre.

À la résidence Oliver, la mort de Barbara entraîna une vague de sentiments contradictoires pour Lou et Anna.

— Elle me manquera tellement, dit Lou avec un trémolo dans la voix et les yeux pleins de larmes. Mais elle n'était plus capable de vivre seule. Dieu savait qu'il était temps qu'elle rentre à la maison. À la maison pour Noël…

— Ça te fait réfléchir, n'est-ce pas ? demanda Anna.

Lou leva les yeux.

— À propos du coup de téléphone, tu veux dire ? Oui, j'y pense. Et plus j'y pense, plus je suis sûr que c'est probablement papa qui l'a passé.

— Peut-être.

— Vraiment, continua Lou. Je pense que Dieu voulait que nous sachions que tout allait bien se passer. Barbara n'avait pas besoin d'un endroit pour vivre parce qu'elle allait à la maison au ciel.

Anna resta silencieuse, perdue dans ses propres pensées.

— Tu sais quoi, Anna ? dit Lou. Je me suis toujours demandé si papa m'aimait vraiment. Barbara se demandait la même chose. Maintenant, je sens que je peux mettre cette question de côté. Dieu savait que je m'interrogeais sur mon père. Alors, il a répondu à ma prière et m'a fait savoir que papa nous aimait tous les deux. Il nous aimait tellement qu'il était impatient d'accueillir le premier de ses enfants à la maison.

85

Un cadeau pour Noëlle

À l'époque où Noëlle Conover fêta son premier anniversaire, ses parents, Evan et Suzie, remarquèrent quelque chose de différent en elle. Elle était silencieuse. Alors que les autres bébés de son âge gazouillent ou disent des mots simples, Noëlle n'émettait presque aucun son.

Finalement, ses parents obtinrent un rendez-vous avec un spécialiste qui confirma leur crainte. Noëlle était née sourde et le serait pour le reste de sa vie. Pendant le retour à la maison, Noëlle était assise sur la banquette arrière et jouait avec un animal en peluche pendant qu'Evan et Suzie se tenaient la main en partageant leur peine consécutive au diagnostic.

— Je voudrais tant qu'elle ressemble aux autres enfants, dit Suzie en essuyant les larmes sur ses joues. C'est trop injuste. C'est une si belle petite fille. Elle sera différente des autres pour le reste de ses jours. Quand je pense à tous les sons qu'elle ne connaîtra pas… Elle ne m'entendra jamais dire son nom ni lui chanter des berceuses.

Evan regardait fixement la route.

— Je n'arrête pas de penser qu'elle ne m'entendra jamais lui dire combien je l'aime. Elle n'entendra rien de tout ça, ajouta-t-il en regardant son épouse.

Suzie et Evan promirent de toujours être forts pour le bien de Noëlle et de ne voir que le bon côté des choses. Ils ne la laisseraient jamais utiliser sa surdité comme une excuse pour ne pas faire tout ce qu'elle serait capable de faire. Ils convinrent d'apprendre le langage des signes et de le montrer à Noëlle le plus rapidement possible. Tout comme ils lui apprendraient à lire sur les lèvres afin qu'elle puisse s'intégrer plus facilement aux autres à l'école. Ils savaient qu'ils connaîtraient des frustrations et des déceptions, mais ils promirent de s'appuyer mutuellement et de donner à Noëlle la meilleure vie possible en dépit de son handicap.

88

Tandis que passaient les années, les Conover tinrent leurs promesses. Lorsqu'elle était encore une petite fille, Noëlle apprit à communiquer avec ses parents par le langage des signes et elle fit des progrès rapides pour parvenir à lire sur les lèvres.

Apprendre à Noëlle à se faire des amis parmi les autres enfants fut la partie la plus difficile pour lui permettre de vivre avec sa surdité. Toute petite, Noëlle fut présentée à de nombreux enfants de son âge, mais ne semblait jamais pouvoir s'intégrer. Une fois, au parc, elle essaya de parler dans le langage des signes avec une petite fille qui était manifestement capable d'entendre.

— Veux-tu jouer avec ma poupée ? signala-t-elle rapidement.

L'enfant jeta un regard vide d'expression à Noëlle et regarda ses mains.

— Pourquoi est-ce que tu bouges les mains comme ça ? demanda la fillette.

Noëlle regarda la petite fille avec curiosité, incapable de déchiffrer le mouvement de ses lèvres. Elle utilisa à nouveau le langage des signes pour lui demander si elle voulait jouer. Cette fois, la fillette éclata de rire, pensant que Noëlle jouait une espèce de jeu.

Mais les rires de la jeune fille troublèrent Noëlle qui commença à pleurer, courant pour retrouver sa mère qui regardait la scène depuis un banc avec un serrement au cœur.

— Tout va bien, signala Suzie à sa fille en la prenant dans ses bras. Elle veut être ton amie, mon ange. Mais elle ne te comprend pas.

— Elle ne m'aime pas, signala Noëlle à sa mère en guise de réponse.

Le cœur de Suzie se serra davantage de voir l'âme de son enfant meurtrie par cette rencontre.

— Non, insista Suzie. Elle t'aime. C'est juste qu'elle ne te comprend pas.

Mais Noëlle semblait effrayée et Suzie pensait comprendre pourquoi. Pour la première fois, la petite fille s'était rendu compte qu'elle était différente des autres enfants. Cette pensée avait dû la terrifier. Après cela, elle refusa de faire quelque tentative que ce soit pour communiquer avec les autres enfants. Elle pouvait jouer près d'eux et leur sourire, mais elle restait toujours en retrait.

— Qu'allons-nous faire, Evan ? demanda Suzie avec lassitude un soir. J'essaie de l'aider à se faire des petites amies, mais elle a peur d'essayer, elle a peur qu'elles ne l'aiment pas.

— Donne-lui du temps, chérie, répondit Evan en s'asseyant à table en face de son épouse. Elle a beaucoup de choses à apprendre. Et elle a fait de nombreux progrès en quelques années. Elle aura des amies un jour.

Suzie resta silencieuse un moment. Puis elle ajouta doucement :

— As-tu prié pour cela ? Je veux dire, toutes ces questions d'amitié.

— Pas vraiment, confessa Evan avec un air triste. Bien sûr, j'ai prié pour Noëlle. J'ai prié pour elle depuis le jour de sa naissance. Mais je n'ai pas vraiment demandé à Dieu de lui envoyer une amie proche, si c'est ce que tu veux dire.

— Alors, faisons-le, répondit Suzie en faisant un signe de la tête. Prions ensemble et prions Dieu tous les jours afin qu'il aime Noëlle suffisamment pour lui envoyer une bonne amie.

Evan tendit ses mains par-dessus la table pour prendre celles de Suzie. Ensemble, ils penchèrent leur tête et prièrent. Silencieusement, sincèrement, ils demandèrent à Dieu de veiller sur leur fille et de bien vouloir lui envoyer une amie.

Après cette soirée, Evan et Suzie prièrent tous les jours pour Noëlle et pour l'amie qu'elle aurait un jour. Plus tard cette année-là, Noëlle fêta ces cinq ans et commença à aller à une école pour élèves avec des besoins particuliers. Du point de vue scolaire, elle réussit au-delà des attentes de ses parents, mais elle avait toujours un blocage au niveau social.

91

Un jour, elle rentra à la maison la tête haute et, comme l'aurait fait un adulte, demanda à sa mère de s'asseoir sur le sofa avec elle pour avoir une conversation.

— Je suis sourde, n'est-ce pas, maman ? signala-t-elle.

Suzie resta coite un moment. Ils avaient composé avec la surdité de Noëlle depuis le jour du diagnostic fatidique, mais n'avaient jamais discuté avec elle de ce qui la rendait différente des autres.

— Oui, chérie, répondit Suzie en bougeant doucement ses doigts et en regardant sa fille dans les yeux. Tu es née sans pouvoir entendre les sons.

— Et c'est pour ça que je suis différente, hein, maman ? demanda-t-elle.

Suzie poussa un soupir, sentant les larmes envahir ses yeux.

— Oui, chérie. La plupart des enfants peuvent entendre les sons. Mais il y a aussi beaucoup d'enfants qui sont nés sourds, tout comme toi.

— Même si je suis sourde, je reste intelligente et jolie, et je suis toujours aimable. N'est-ce pas, maman ?

Les yeux de Noëlle luisaient quand elle avait posé sa question et Suzie dut faire un grand effort pour refouler ses larmes.

— Et Dieu m'aime quand même ? ajouta Noëlle.

— Bien sûr, Noëlle. Dieu t'aime beaucoup. Tu es adorable, jolie et merveilleuse. Le fait d'être sourde ne changera jamais rien à tout cela.

Noëlle réfléchit pendant un moment. Puis ses mains s'animèrent une fois encore.

— Il est temps pour moi de me faire une amie, maman. Mais je veux une amie qui soit sourde comme moi. Est-ce que c'est correct ?

Suzie approcha son enfant en l'enveloppant de ses bras, effleurant ses boucles foncées soyeuses.

— J'ai demandé à Dieu de t'envoyer une amie proche, Noëlle. C'est peut-être ce qu'il a à l'esprit. Une amie proche qui soit sourde comme toi. Nous verrons ce qui va arriver.

L'année continua de s'écouler, et bien que Noëlle eût fait plus d'efforts que jamais pour approcher les autres enfants, aucun de ses camarades de classe n'était sourd. Elle termina sa première année d'école sans amie. Sa seconde année s'amorça de la même manière. Mais même s'ils étaient découragés, Evan et Suzie continuèrent de prier.

Deux mois avant Noël, Noëlle tomba sur la photo d'un chaton persan blanc, qui ressemblait à celui d'un de ses livres d'images. Elle tomba immédiatement amoureuse du chaton et courut montrer la photo à sa mère. Ses mains zigzaguaient pendant qu'elle tentait de s'expliquer.

— Maman, est-ce que je pourrais avoir un chat comme ça pour Noël ? S'il te plaît ?

Noëlle était si agitée que Suzie dut la calmer d'abord afin de pouvoir enfin voir la photo.

93

— C'est un persan, Noëlle, dit Suzie en regardant la photo. C'est un chaton comme ça que tu veux ?

— Oui, oui, oui, signala rapidement Noëlle. S'il te plaît, maman.

Evan et Suzie discutèrent plus tard dans la soirée de la possibilité d'avoir un chat pour Noël.

— Elle a toujours aimé ses animaux en peluche, plaida Suzie. C'est peut-être ce qu'il lui faut maintenant. Un animal à elle.

— Mais un chaton persan blanc ? demanda Evan. Ils coûtent plusieurs centaines de dollars, Suzie. Nous ne pouvons pas nous le permettre.

Evan était enseignant et Suzie travaillait à temps partiel à l'école de Noëlle. Avec les coûts de l'éducation adaptée, ils peinaient déjà à joindre les deux bouts à chaque mois.

— Je sais, répondit Suzie. Nous pourrions peut-être faire des économies dans les semaines qui viennent et surveiller les promotions dans les journaux. Nous en verrons peut-être un que nous aurons les moyens de payer.

Evan réfléchit un moment avant de pousser un soupir.

— D'accord, essayons ça. Mais n'en parle pas à Noëlle. Je ne voudrais pas qu'elle se fasse de faux espoirs.

Pendant les sept semaines suivantes, Suzie feuilleta les journaux à la recherche d'un persan blanc, mais n'en trouva aucun à vendre. Finalement, une semaine avant Noël, Suzie et Evan estimèrent avoir économisé suffisamment d'argent pour acheter un tel chaton s'ils en trouvaient un.

Le 23 décembre, pendant que Noëlle dormait toujours, Suzie ouvrit un journal et parcourut les petites annonces. Soudain, elle eut le souffle coupé.

— Evan ! s'exclama-t-elle. Ils sont là. Les chatons. Chatons persans, blancs, 200,00 $. Je n'arrive pas à y croire. Nous avons trouvé le chaton de Noëlle.

Lorsque Noëlle fut debout et qu'elle commença à jouer dans l'autre pièce, Suzie composa le numéro de l'annonce.

— Bonjour, dit-elle. J'appelle à propos des chatons persans blancs.

— Ah oui, répondit Mary Jenkins à l'autre bout du fil avec un sourire. Il nous en reste quelques-uns. Ils sont tous pareils : des chatons blancs avec des taches grises.

— Oh, répondit Suzie, désappointée.

Noëlle essayait de déchiffrer ce que sa mère était en train de dire.

— Nous en cherchions un qui soit complètement blanc. C'est pour le cadeau de Noël de ma fille.

— Je vois, répondit Marie. Eh bien, nous avons un chaton qui est complètement blanc. Je vous le vendrai cinquante dollars au lieu de deux cents si vous êtes intéressée.

— Je ne comprends pas, dit Suzie, interloquée.

— Voilà, dit Mary après une pause, c'est une petite femelle qui est sourde. Je ne suis pas sûre que je pourrai la vendre.

Suzie fut secouée de tremblements et fut incapable de parler pendant un instant. Noëlle fit irruption dans la pièce en comprenant qu'il se passait quelque chose d'étrange.

— Qu'est-ce qu'il y a, maman ? Qu'est-ce qui se passe ? commença-t-elle à dire par signes.

— Êtes-vous toujours là ? demanda Mary en rompant le silence.

— Oui, nous serons chez vous dans une demi-heure.

Suzie raccrocha le téléphone et demanda à Evan de la rejoindre.

— Disons-lui, commença-t-elle. Comme ça, nous pourrons aller chercher le chaton tous ensemble.

Ils expliquèrent à Noëlle qu'ils lui avaient trouvé un chaton… et que même si la fête de Noël était dans deux jours, ils voulaient qu'elle ait son présent aujourd'hui.

Evan, Suzie et Noëlle rencontrèrent Mary sur sa véranda. Noëlle fut immédiatement attirée par le petit chaton blanc qu'elle tenait dans ses bras.

— Boule de neige, signala Noëlle en prenant doucement le chaton dans ses bras et en le serrant contre sa poitrine.

Evan et Suzie échangèrent un regard.

— Disons-lui, murmura Suzie.

Evan fit un signe affirmatif de la tête. En se penchant à la hauteur de Noëlle, Suzie commença à faire des signes avec ses mains.

— Le chaton est une petite fille. Et elle est sourde, Noëlle. Un chaton persan blanc sourd.

Le visage de Noëlle s'illumina comme jamais auparavant.

— C'est ma chatte, maman ! signala-t-elle avec enthousiasme.

Ils sourirent tous et Evan paya Mary pour le chaton. Pendant la transaction, elle expliqua comment les autres chatons se sauvaient en courant quand elle passait l'aspirateur, mais que le chaton blanc ne semblait pas être dérangé par le bruit. Evan et Suzie échangèrent un regard entendu, se rappelant l'époque où ils essayaient de comprendre ce qui n'allait pas avec Noëlle.

— J'ai emmené la petite chatte chez le vétérinaire qui m'a dit que la pauvre petite était sourde, raconta Mary.

Suzie caressa le chaton et attira l'attention de Noëlle.

— Tu vois, Noëlle. Elle est parfaite et jolie comme les autres chatons. La seule différence est qu'elle ne peut pas entendre.

Noëlle sourit, frottant sa tête près du chaton. Elle regarda ensuite sa mère avant de dire avec sa main libre :

— Emmenons-la à la maison, maman.

Pendant les quelques semaines suivantes, Noëlle et sa petite chatte sourde furent indécollables. Chaque après-midi, elle installait le chaton devant elle sur le lit et lui parlait en utilisant le langage des signes. Un jour, Suzie observa le manège, essayant de comprendre ce que Noëlle disait au chat.

— Ça va bien, petite chatte, disait Noëlle en bougeant ses mains lentement afin que le chaton puisse comprendre. Tu n'as pas besoin d'avoir peur ou de rester seule puisque maintenant il y a deux personnes sourdes dans la famille. Tu es le plus beau des cadeaux de Noël. Nous serons toujours les meilleures amies du monde.

Suzie entra dans la chambre doucement et s'assit à côté de Noëlle.

— Tu l'aimes, n'est-ce pas, Noëlle ? demanda-t-elle à sa fille.

— Oui, maman. Elle et moi sommes spéciales parce que nous sommes toutes les deux sourdes.

Noëlle regarda le petit chaton, dont la tête s'inclinait malicieusement, tandis qu'il regardait bouger ses doigts. Noëlle se retourna vers sa mère.

— Elle ne comprend pas encore le langage des signes, mais elle le pourra quand elle sera plus vieille. Ce sera alors plus facile pour elle de me parler.

Noëlle attrapa la petite chatte et la serra tendrement.

— Merci pour tes prières, maman, poursuivit-elle. Dieu t'a écoutée. Il m'a donné une amie qui est née sourde comme moi. Et juste pour Noël aussi.

— Oui, Noëlle, répondit Suzie en souriant. J'étais en train d'y penser. Dieu a vraiment entendu nos prières. Ton chaton est le plus beau des cadeaux de Noël.

Douze jours avant Noël

*C*ara Wilcox était impatiente de sortir un peu de la maison. C'était le 12 décembre — douze jours avant Noël — et l'air était déjà froid à l'extérieur. La vie avait été dure récemment pour les Wilcox et Cara se demandait si leurs moyens seraient suffisants pour la fête de Noël. Lorsqu'elle avait des préoccupations, comme par cette froide nuit d'hiver, Cara savait que le seul moyen pour faire le vide dans son esprit consistait à sortir prendre l'air — même dans son quartier populeux.

— Qui veut venir faire une promenade ? demanda-t-elle en enfilant son manteau.

Il faisait très noir dehors et le voisinage new-yorkais de Cara n'était pas des plus sécuritaires.

Elle n'avait pas l'intention de s'éloigner de plus d'un coin de rue ce soir-là.

Cara regarda les visages de ses quatre enfants et s'aperçut qu'aucun des trois plus vieux n'avait envie d'aller se promener. Sarah, cinq ans, et Joey, sept ans, secouèrent négativement la tête.

— Nous voulons regarder la télé, maman, répondirent-ils.

Cara jeta un regard à son plus vieux garçon, Colin, quinze ans, et celui-ci haussa les épaules.

— Pas ce soir, maman. OK ?

— D'accord, dit-elle. Mais tu surveilleras Joey et Sarah, n'est-ce pas ? J'irai avec Laura.

100

Sa petite fille de trois ans débordait d'énergie. Cara alla chercher la poussette. Même s'il faisait froid dehors, la fillette pourrait parcourir un coin de rue avec elle sans en souffrir. Ça leur ferait du bien à toutes les deux. Elle prit sa main, puis elles sortirent.

Une fois dehors, Laura voulut rapidement sortir de la poussette. Cara poussa un soupir et la fit descendre tout en jetant un regard vers l'arrière. Elles n'étaient qu'à un pâté de maisons de chez elles. Cara aperçut soudainement Joey et Sarah qui marchaient dans la rue. Ils semblaient jouer à la cachette, courant d'un coin d'ombre à l'autre, comme s'ils voulaient surprendre leur mère. Cara décida de jouer le jeu.

Elle se retourna et continua à marcher avec Laura. Lorsqu'elles arrivèrent à l'intersection, Cara regarda à nouveau derrière elle. Cette fois, elle n'aperçut pas ses enfants.

— Hum, fit-elle à voix haute pendant que Laura l'observait.

— Allons, maman, dit la fillette, marchons.

Cara resta immobile, scrutant la rue en remontant vers sa maison, cherchant ses enfants. Elle se demanda s'ils n'avaient pas eu soudainement peur dans le noir et étaient retournés à la maison. Une pensée lui traversa alors l'esprit : quelqu'un pourrait les avoir kidnappés ! Le quartier n'était pas sûr et des crimes y étaient commis tous les jours. Cara commença soudainement à paniquer.

— Sarah ! cria-t-elle. Joey !

Il n'y eut pas de réponse. Cara tremblait de peur. Elle serra fermement la main de Laura et commença à rebrousser chemin.

Tandis qu'elles marchaient, Cara remarqua un homme de l'autre côté de la rue qui se dirigeait dans la même direction qu'elles. Cara se demanda d'où il pouvait bien sortir, puisqu'elle ne l'avait pas remarqué quand elle avait regardé derrière elle. Même si elle était préoccupée par le sort de Joey et Sarah, Cara remarqua que l'homme regardait dans leur direction. Comme elle ne l'avait jamais vu dans le voisinage, Cara commença à s'en méfier. Elle accéléra son allure, ramassant Laura dans ses bras. Dans une main, elle tenait la poussette pliée et pensa pouvoir s'en servir comme d'une arme si nécessaire.

— Qu'est-ce qu'il y a, maman ? demanda Laura, consciente de la nervosité de sa mère.

— Il n'y a rien, chérie. Nous rentrons.

Comme Cara et sa fille approchaient du coin de leur immeuble, l'homme commença à traverser la rue en diagonale pour s'approcher d'elles. Un frisson de terreur parcourut le corps de Cara. Elle se demanda si elles auraient le temps d'ouvrir la porte avant que l'homme les accoste.

Prétends que tu vois ton père à la porte d'entrée et parle-lui, lui souffla une voix dans sa tête.

Cara suivit aussitôt ce conseil.

— Bonjour, papa ! cria-t-elle en avançant vers l'immeuble qui se trouvait encore à plusieurs pas. As-tu vu les enfants ?

Au même moment, l'inconnu tourna les talons et partit dans la direction opposée. Cara poussa un soupir de soulagement. Elle avait réussi à le tromper.

Elle monta les escaliers quatre à quatre et bondit dans l'appartement. Ses craintes furent aussitôt apaisées. Joey et Sarah regardaient la télévision assis sur le plancher du salon, dans la même position que lorsqu'elle était partie.

— Qu'est-ce qui vous a fait revenir à la maison ? demanda-t-elle. Quelque chose vous a effrayés, c'est ça ?

Les enfants jetèrent un regard interloqué à leur mère, puis se regardèrent l'un l'autre.

— Qu'est-ce que tu veux dire ? demanda Joey.

— Vous étiez dehors, en train de me suivre. Je vous ai vus. Pourquoi êtes-vous rentrés ?

Colin regarda sa mère en secouant la tête.

— Maman, ils n'ont pas bougé un seul instant, dit-il simplement. Tu te rappelles, ils ne voulaient pas sortir.

— C'est impossible, répondit-elle en s'affalant machinalement sur une chaise. Je vous ai vus tous les deux. Derrière moi. Et quand je ne vous ai plus vus, nous sommes rentrées aussitôt.

Cara se rappela alors l'homme inquiétant. Pendant les trente minutes suivantes, elle expliqua à Colin ce qui s'était passé et combien elle avait été angoissée.

— Maman, les enfants que tu as vus étaient peut-être des anges. La seule façon qu'ils avaient de te faire revenir à la maison était de prendre l'apparence de Joey et de Sarah. Tu sais, des anges de Noël...

103

Cara fixa son garçon. Elle avait pensé la même chose, mais avait peur de passer pour une cinglée. Mais, pourquoi pas ? Qu'y avait-il de plus simple pour Dieu que d'envoyer des anges qui ressemblent à ses enfants ? Ses précieux enfants.

— Je ne sais pas, mon garçon. Mais je suis sûre que j'ai vu les enfants dehors ce soir.

Cara raconta à qui voulait l'entendre l'aventure qui s'était produite pendant sa promenade. Ce n'est que plus tard qu'elle en vint à considérer, hors de tout doute, qu'un miracle s'était produit cette nuit-là. Elle apprit que l'homme qui les suivait s'était échappé d'un pénitencier. Jusqu'à ce qu'il soit capturé à nouveau, il se déplaçait avec une arme à feu et rançonnait les gens du quartier de Cara à la pointe de son fusil.

— Je suis sûre qu'il voulait nous dévaliser, puis nous tuer, Sarah et moi, raconta plus tard Cara à ses amis. Par un miracle de Noël, Dieu m'envoya deux enfants qui ressemblaient aux miens pour me faire revenir vers la sécurité de notre logis. Pendant ce temps, les miens n'ont pas bougé de l'appartement. Cela doit être un miracle, puisque ce genre de chose n'arrive jamais.

Un cadeau de Noël imprévu

S cott et Julie avaient seize ans lorsqu'ils se sont rencontrés à l'école secondaire de Ann Arbor, au Michigan. Cette journée-là, l'adolescente blonde aux yeux bleus arriva en retard pour ses cours. Lorsqu'elle passa devant le groupe d'élèves rassemblés pour l'appel dans lequel se trouvait Scott, celui-ci simula une faiblesse et se retrouva par terre.

Si le geste de présentation de Scott n'avait pas gagné le cœur de la belle, il avait au moins attiré son attention. Pendant les années qui suivirent, et jusqu'à la graduation, les deux formèrent une paire, se rendant à des soirées dansantes et développant une amitié profonde.

— Un jour, tu porteras ma bague, Julie, lui disait Scott. Et tu seras mienne pour toujours.

Julie rit comme seule une adolescente sait le faire et baissa la tête avec pudeur.

— Oh, Scott, c'est si loin tout ça.

Mais après le secondaire, Scott trouva un travail à la conserverie de viande, située assez loin de sa maison, et les deux se perdirent de vue. Pendant deux ans, ils ne se virent pas et n'eurent pas de nouvelles l'un de l'autre.

Puis, peu après son vingtième anniversaire, Julie faisait le ménage à la maison de ses parents lorsque le téléphone sonna.

— Je pense toujours que tu porteras ma bague un jour, Julie, dit la voix au téléphone.

— Scott Tschirgi ! s'exclama t elle, surprise qu'il l'appelle après un si long moment. Je pensais que tu m'avais complètement oubliée.

Scott commença sa cour en passant à la maison de Julie tous les soirs et en lui jouant des airs sur son harmonica. Julie était ravie de ce renouveau d'intérêt et, du jour au lendemain, la relation entre les deux s'affermit jusqu'à ce qu'ils se rendent compte qu'ils ne pouvaient se passer l'un de l'autre. Un an plus tard, le 24 février, Scott tint sa promesse et passa un anneau d'or au doigt de Julie lors de leur mariage qui se tenait devant la famille et les amis.

— Ce n'est pas l'alliance que je souhaiterais te voir porter, annonça Scott à Julie peu avant le mariage. Mais elle fera l'affaire jusqu'à ce que je puisse t'offrir la bague que tu porteras à jamais.

Deux années plus tard, la mère de Julie et la meilleure amie de sa mère périrent dans un accident d'auto. Après les funérailles, le père de Julie s'approcha de Julie et Scott les larmes aux yeux. Dans sa main se trouvait l'anneau de mariage que la mère de Julie avait porté pendant trois décennies.

— Elle m'a dit que si jamais il lui arrivait quelque chose, elle voulait que tu en hérites.

Julie prit l'anneau et sut que ce serait à jamais l'un de ses objets les plus précieux. Une partie de sa mère qu'elle avait chérie et perdue.

Plus tard dans l'année, une semaine avant Noël, Julie et Scott se rendirent dans une bijouterie du centre-ville de Ann Arbor pour faire graver le précieux anneau. Julie devait le porter à la place du petit anneau d'or que Scott avait acheté pour leur mariage.

107

— C'est le symbole parfait de l'amour, lui dit Scott pendant qu'elle regardait le bijoutier travailler. Son amour pour toi et l'amour que nous nous portons l'un l'autre.

L'anneau d'or blanc faisait près d'un demi-pouce de largeur et le bijoutier fut capable d'y graver leurs initiales et la date du mariage. L'intérieur de l'anneau se lisait comme suit : JAT-SMT-24-02-68.

— Maintenant et pour toujours, cet anneau te rappellera que je t'ai aimé depuis le premier jour, Julie, lui déclara Scott en enfilant l'anneau à son doigt pendant l'après-midi. Et je t'aimerai jusqu'au jour de ma mort.

Le mariage entre Scott et Julie Tschirgi s'était déroulé selon leurs rêves. Deux années plus tard, leur fils Mike voyait le jour, suivi d'une fille, Tara. La famille était très unie, passant des fins de semaine à faire du camping et à pêcher dans les lacs de la région.

Puis, un été, la famille Tschirgi partit pêcher au lac Demi-Lune, à moins d'une heure de Ann Arbor. C'était un lac isolé avec une circonférence de plusieurs kilomètres, un des préférés de la famille Tschirgi. Le lac était entouré d'un large bord de pierres qui rendait l'accès difficile. Les pêcheurs devaient se frayer un chemin sur cinquante mètres de blocs de pierre glissants avant de pouvoir mettre leur ligne à l'eau. Scott et Julie croyaient que les pierres rendaient le lac moins populaire et promettaient de meilleures prises chaque fois qu'ils s'y rendaient. Cette journée-là ne fit pas exception et les Tschirgi commencèrent à capturer l'un après l'autre de délicieux poissons-chats.

108

À cette époque, Mike avait douze ans et Tara, la plus jeune, avait sept ans. Tous les membres de la famille savaient comment s'amuser en excursion de pêche. Julie préparait les lignes pour les enfants et les aidait à trouver des écrevisses entre les rochers.

Le soleil se préparait à se coucher et les Tschirgi cessèrent de pêcher afin de préparer le souper. Ils passèrent des vêtements plus chauds, parce que l'air du soir était frais. Quand ils eurent fini le repas, personne ne souhaitait retourner à la maison. Puisque le poisson mordait si bien, Scott et Julie acceptèrent de rester un peu plus longtemps pour pêcher dans le noir. Ils prirent des lampes dans la voiture et pêchèrent jusqu'à presque minuit.

Exaltée par la longue journée et l'ivresse d'avoir capturé autant de poissons-chats et d'écrevisses, la famille Tschirgi, exténuée, traversa à nouveau les rochers pour se rendre à la voiture. La température était encore plus fraîche. Scott mit le chauffage de la voiture en marche pour qu'ils puissent se réchauffer.

Quarante minutes plus tard, alors qu'ils étaient presque rendus à la maison, Julie laissa échapper un cri.

— Mon anneau de mariage ! s'exclama-t-elle. Il n'est plus là.

Scott jeta un regard à la main de sa femme et s'aperçut qu'elle disait vrai. Son doigt était nu là où se trouvait habituellement l'anneau.

— Il faut qu'on y retourne. Je dois retrouver l'anneau.

Scott soupira tristement.

— Il est une heure du matin. Les enfants sont exténués et nous devons dormir. Je ne peux pas conduire jusque-là cette nuit.

— Oh non ! Je ne peux pas croire que je l'ai perdu. Ma main a dû geler et l'anneau a dû glisser sans que je m'en rende compte.

Scott resta silencieux pendant un moment. Le lac était si vaste, la rive si étendue et couverte de centaines de rochers. Son anneau avait pu se perdre entre les rochers ou disparaître dans l'eau. Il n'y avait aucun moyen de le retrouver pour l'instant. Il en était convaincu.

109

— Nous devons y retourner demain, insista Julie. Scott, tu sais ce que cet anneau représente pour moi.

Scott fit un signe affirmatif de la tête.

— Oui, je sais, chérie. Mais il faut que je travaille demain matin.

Les yeux de Julie s'emplirent de larmes et ses mains commencèrent à trembler.

— Qu'allons-nous faire ?

— Nous allons y retourner la fin de semaine prochaine pour voir si nous pouvons le retrouver.

Julie accepta à contrecœur et attendit pendant ce qui sembla une éternité jusqu'à la fin de semaine suivante. Tôt le samedi matin, la famille s'entassa dans l'automobile et retourna au lac Demi-Lune pour chercher l'anneau.

Scott pensait qu'il pourrait conduire le groupe au même endroit où ils avaient pêché la semaine précédente. La tâche s'avéra beaucoup plus difficile qu'il ne l'avait prévu. Il y avait peu de points de repère autour du lac et tous les pourtours de la rive se ressemblaient. Il ne put que supposer où ils s'étaient installés.

Pendant de nombreuses heures, ils cherchèrent l'anneau, contournant les rochers et trempant leurs mains dans l'eau peu profonde. Mais ils ne le trouvèrent pas. Avant le coucher du soleil, Julie, défaite, marcha vers Scott et se glissa dans ses bras.

— Il est perdu, Julie. Il faut que tu l'acceptes.

Julie approuva de la tête. Son menton tremblait, tandis qu'elle essayait de refouler ses larmes.

— Il représente tellement pour moi, Scott, dit-elle d'une voix brisée. C'est le seul objet tangible qui me rappelle ma mère. Il n'y en aura jamais d'autre comme lui. Je regrette tant de l'avoir perdu.

Scott la serra dans ses bras et passa une main dans son dos pour la réconforter.

— Tu n'as pas besoin d'un anneau pour savoir combien ta mère t'aimait… et tu n'as pas besoin de lui pour savoir combien je t'aime, n'est-ce pas ?

Elle essuya ses larmes et hocha la tête.

— D'accord.

— Allez, viens, dit-il en lui prenant la main. Retournons à la maison.

Après cet événement, Scott acheta une autre bague à Julie, mais elle était toujours obsédée par la perte de l'anneau de sa mère et chaque fois qu'ils se rendaient au lac, elle espérait secrètement qu'ils le retrouveraient.

Tandis que les années passaient, Julie n'oublia jamais l'anneau, disant à la blague qu'un jour quelqu'un capturerait un poisson, l'ouvrirait et trouverait son anneau à l'intérieur.

— Je regrette seulement que nous n'ayons pas fait graver notre numéro de téléphone sur l'anneau au lieu de notre date de mariage, disait-elle en partie sérieuse. Quelqu'un aurait pu m'appeler après l'avoir trouvé.

Mais, de façon réaliste, Julie savait que l'anneau était perdu pour de bon. Les saisons affectaient grandement le lac Demi-Lune. L'eau se retirait sur sept mètres à plusieurs endroits chaque hiver avant de reprendre son niveau habituel chaque été.

Près de vingt années s'écoulèrent. Scott prit sa retraite. Il commença à jouer au bingo une fois par semaine à la salle paroissiale. Julie travaillait toujours, mais elle l'accompagnait parfois au bingo en soirée. Même si leurs enfants avaient grandi et avaient quitté le domicile, Scott et Julie continuèrent d'aller pêcher les fins de semaine.

— La seule chose que tu aimes au bingo, disait Scott à Julie, c'est que tout le monde est amateur de pêche. Ils ne font que parler de ça.

Scott développa une amitié avec un couple en particulier. Il rencontra d'abord Lisa Chapman qui vendait des cartes de bingo le jour à l'église. Au début de leur amitié, Scott et Lisa découvrirent que Lisa et son mari avaient pêché sur plusieurs des mêmes lacs que Scott et Julie. Chaque semaine, Scott et Lisa échangeaient des histoires de pêche, partageant les récits de leurs meilleures prises, des meilleurs endroits de pêche et du « gros poisson » qu'ils avaient raté. Ils découvrirent qu'ils restaient à peine à dix minutes de distance l'un de l'autre. À plusieurs reprises, Lisa et son mari se rendirent au bingo en soirée et s'assirent à côté de Scott et Julie.

Le 22 décembre, cette année-là, un jour où Scott aurait normalement joué au bingo à l'église, il décida de ne pas y aller pour faire du magasinage de dernière minute.

— Trouve-moi mon anneau, dit Julie à la blague, l'œil un peu triste. Ce serait tout un cadeau de Noël.

— Ce serait plutôt un miracle de Noël, répondit Scott en l'embrassant et en retirant une mèche de cheveux de son visage. Va jouer au bingo à ma place aujourd'hui. Essaie de savoir qui a pris le plus de poissons en fin de semaine.

Julie trouva l'idée à son goût. Elle prit congé. Puisque tous ses cadeaux étaient emballés et se trouvaient sous l'arbre, rien ne l'empêchait d'aller jouer. Lorsqu'elle fit la queue pour acheter des cartes, elle remarqua avec plaisir que c'était Lisa Chapman qui les vendait.

— Où est votre amour ? demanda Lisa d'un ton badin. Il n'a pas manqué un lundi de bingo depuis des mois.

— Noël est dans trois jours… Vous connaissez Scott, répondit Julie en sortant des billets de sa bourse.

— Eh bien, dites-lui que j'ai attrapé le plus gros poisson-chat de ma vie la fin de semaine dernière au lac Demi-Lune.

Julie gloussa.

— Écoutez, dit-elle, si vous ouvrez ce poisson et que vous y trouvez une alliance, c'est la mienne. Je l'ai perdue il y a vingt-deux ans.

Le visage de Lisa s'affaissa soudainement et sa bouche s'ouvrit sous l'effet de la surprise.

— Quoi ? dit-elle.

— J'ai dit : si vous trouvez un anneau dans ce poisson, c'est probablement le mien. J'ai perdu mon anneau de mariage à ce lac, il y a vingt-deux ans.

— Julie, vous n'allez pas me croire. Il n'y avait pas d'anneau dans ce poisson, mais j'ai trouvé une alliance il y a quinze ans à ce lac.

— Êtes-vous sérieuse ? demanda Julie, tandis que son visage s'illuminait, puis s'affaissait aussi rapidement. Oh, ça ne peut pas être le mien, enchaîna-t-elle en balayant cette possibilité, il est perdu depuis trop longtemps. Je suis sûre qu'il est maintenant au fond du lac.

— Attendez. Décrivez-moi votre anneau.

Julie jeta un regard interdit à Lisa.

— C'était un large anneau en or blanc. Avec des lettres et des chiffres gravés à l'intérieur.

— Vous ne le croirez pas, Julie ! Mais j'ai cet anneau !

Lisa raconta rapidement comment elle l'avait trouvé.

Quinze ans plus tôt, Lisa et son mari, Jim, avaient fait une excursion au lac Demi-Lune pour chercher des vers le long de la berge. Les eaux du lac avaient reculé et une bande de sable s'étendait entre l'eau et les rochers. Les gens pouvaient marcher sur cette grève de sable. Cet après-midi-là, Lisa et Jim trouvèrent peu de vers, mais remarquèrent un anneau à demi enfoui dans le sable.

— Regarde-moi ça, avait dit Lisa à son mari.

Jim s'était approché de son épouse et avait examiné l'anneau et le message gravé à l'intérieur.

— Une bague de mariage, avait-il dit. Je parie que quelqu'un la regrette en ce moment.

Lisa avait examiné l'anneau à son tour avant de le mettre dans sa poche.

— Qu'est-ce que tu vas faire avec ? demanda Jim.

— Je ne le sais pas vraiment, répondit Lisa, mais c'est un si bel anneau. Ce serait dommage de le laisser sur la plage.

Une fois revenue chez elle, Lisa pensa à ce qu'elle pourrait faire. Elle aurait pu passer une annonce dans un journal distribué dans la région du lac Demi-Lune. Mais il y avait des gens qui venaient y pêcher depuis des centaines de kilomètres autour. Rien n'assurait que la personne ayant perdu l'anneau tombe sur l'annonce. Elle hésitait aussi à cause de la date sur l'anneau — 24 février 1968. Si une personne avait perdu l'anneau dans les années soixante, elle avait sûrement cessé de le chercher à ce moment-là. Finalement, Lisa décida simplement de mettre l'anneau de côté.

— Je sais que je ne trouverai jamais le propriétaire de cet anneau, avait-elle dit à son mari. Mais il représente quelque chose pour quelqu'un et je ne peux le jeter.

Elle l'avait placé dans un plat avec d'autres objets inutiles et n'y avait plus pensé jusqu'à ce que Julie Tschirgi lui en parle cet après-midi-là, quelques jours avant Noël.

— Attendez un instant, s'il vous plaît, dit Lisa à une douzaine de personnes qui avaient suivi l'échange entre les deux femmes.

Lisa se fit remplacer par une autre personne pour vendre les cartes.

— Je reviens. Je vais à la maison chercher cet anneau.

Quinze minutes plus tard, Lisa était de retour dans la salle de bingo avec un large anneau d'or blanc au doigt. Elle se dirigea vers Julie qui était assise avec un groupe de personnes qui avaient entendu les femmes parler de la bague. Julie et les autres étaient fébriles de savoir s'il s'agissait bien de l'anneau perdu.

116

Chez elle, Lisa avait vérifié les initiales sur l'anneau. Elle avait aussitôt su qu'il s'agissait de l'anneau de mariage de Julie. Avec un large sourire, elle s'approcha de son amie en levant sa main.

— Regardez, ici, dit-elle.

Julie était bouleversée. Elle se leva lentement et fit quelques pas vers Lisa, sans écarter son regard de l'anneau. C'était bien celui qu'avait porté sa mère, celui que Scott et elle avaient fait graver, celui pour lequel elle avait prié tous les jours depuis les deux dernières décennies, afin de le retrouver.

— C'est mon anneau, dit-elle finalement, tandis que des larmes coulaient sur ses joues. Nous l'avions fait graver à Noël, et maintenant, je le retrouve à Noël. Je n'arrive pas à y croire.

Pendant qu'elle disait ces mots, les gens autour d'elle commencèrent à applaudir bruyamment.

Plusieurs d'entre eux avaient les yeux luisants, émus par les larmes de joie de Julie.

— Ce n'est pas croyable, dit Lisa. Vous avez perdu cet anneau depuis toutes ces années. Je l'ai trouvé plusieurs années après. Et maintenant, quinze ans plus tard, nous jouons au bingo ensemble et pendant tout ce temps cet anneau était dans un plat chez moi.

Au même moment, le pasteur de l'église entendit le brouhaha et s'approcha. Il écouta l'histoire de l'anneau. Julie lui demanda s'il voulait le bénir.

— Madame Tschirgi, je ne crois pas que cela soit nécessaire, répondit le pasteur. Si le bon Dieu vous a aidée à retrouver cet anneau après toutes ces années, et pendant la période de Noël, rien de moins, je pense que cet anneau est déjà béni.

Encore une fois, les gens applaudirent, et Lisa et Julie se firent une accolade.

— Vous dire merci n'est pas assez pour moi, dit Julie en riant à travers ses larmes. Je n'ai jamais oublié cet anneau, même après toutes ces années. Enfin, je le retrouve.

Scott et Julie analysèrent plus tard les chances pour qu'un tel événement se produise. Le lac était à une heure de route de leur domicile. Il était absurde de croire qu'un voisin pouvait visiter le même lac où elle avait perdu cet anneau et le retrouver après des années de marées hautes et basses. Sans compter qu'ils auraient pu ne jamais connaître ce voisin et que Julie aurait pu ne jamais avoir la chance de lui en parler.

— Même si le lac avait été asséché et que nous l'avions parcouru tous les jours d'un été entier, nous aurions bien pu ne jamais retrouver l'anneau, raconta Scott à son épouse, tandis qu'ils pensaient encore à l'anneau de mariage. Il aurait dû se trouver de nombreux pieds sous le sable après tout ce temps.

— Mais ce n'était pas le cas. Et je le porte à nouveau.

Le couple demeura silencieux un moment.

— Scott, crois-tu aux miracles ? lui demanda alors Julie.

— Bien sûr, répondit-il en tirant Julie vers lui. Je t'avais dit que cet anneau représentait un amour puissant... celui de la mère et le nôtre. Maintenant, il a trouvé le chemin du retour. Joyeux Noël, chérie.

Les anges de Noël

*A*ustin Rozelle avait quatre ans quand ses parents s'aperçurent qu'il avait une imagination débordante. Il adorait les sports, tout particulièrement le basket-ball, et il prétendait souvent être le meilleur joueur de tous, Michael Jordan. Au moment du coucher, quand les enfants Rozelle demandaient leur histoire favorite, la demande d'Austin était toujours la même :

— Raconte-moi une histoire de Michael Jordan, papa, s'il te plaît !

Et Burt Rozelle racontait une histoire impliquant Austin et Michael Jordan et certains matchs de basket-ball cruciaux. Cela continua jusque vers Noël cette année-là. Austin ne souhaitait qu'une chose : recevoir la visite de Michael Jordan.

Pendant tout le mois de décembre, lorsque la cloche de la porte d'entrée sonnait chez les Rozelle, Austin courait vers la porte en criant : « Ce doit être Michael Jordan ! »

Trois jours avant Noël, Austin dribblait avec son ballon de basket dans la maison de famille à Portland, en Oregon. Il annonça à sa mère qu'il se rendait à la maison de Michael. Sa mère ne se posa pas de questions. Austin prétendait toujours recevoir la visite de Michael Jordan ou se rendre chez lui.

Ce dimanche après-midi, l'atmosphère était particulièrement humide. Jordan tira sur la jupe de sa mère pendant qu'elle faisait la vaisselle.

— Au revoir, maman. Je m'en vais voir Michael Jordan.

Stella Rozelle sourit à l'enfant.

— D'accord, Austin, essaie de t'amuser.

Évidemment, Austin n'avait aucune idée d'où vivait Michael Jordan. Il ne savait même pas qu'il ne vivait pas en Oregon. Même s'il avait eu l'adresse exacte, Stella savait que le garçon ne quitterait pas vraiment la maison. Surtout pas seul.

Austin jouait tout simplement à faire semblant, comme il le faisait souvent, et Stella regarda son enfant se diriger vers la cour arrière.

Quinze minutes plus tard, Stella avait terminé la vaisselle. Elle se dirigea d'un pas nonchalant vers l'extérieur, pour aller chercher Austin et son frère de six ans, Daniel. Le plus vieux s'amusait dans la balançoire, fredonnant un air appris à la classe du dimanche, plus tôt cette journée-là. La température baissait. Stella voulait que les enfants rentrent avant de prendre froid.

— Il fait trop froid dehors, mon petit. Rentrons et dînons. Où est Austin ? demanda-t-elle en parcourant la cour du regard.

Daniel haussa les épaules en sautant de la balançoire.

— Il jouait avec son ballon. Il est parti par-là, répondit Daniel en montrant la rue. Il m'a dit qu'il allait voir Michael Jordan.

Le sang de Stella se figea soudainement. Elle se rappela un panneau d'affichage auquel elle n'avait pas vraiment prêté attention jusque-là. Il se trouvait trois kilomètres plus loin sur le boulevard Martin-Luther-King. Il y avait une énorme photo de Michael Jordan dessus.

— Daniel, penses-tu qu'il est allé voir cette photo de Michael Jordan sur le panneau d'affichage ?

Daniel réfléchit un moment avant de hausser les épaules.

— Probablement. Il m'a déjà dit qu'il pensait que Michael Jordan vivait là.

Stella sentit son cœur bondir. Elle courut dans la maison, trouva Burt devant son ordinateur et lui expliqua la situation.

— Tu ne le trouves nulle part ? demanda Burt, le visage livide.

Elle sentit la panique l'envahir et secoua la tête.

— Il est parti, Burt. Prie. S'il te plaît, prie.

Stella demanda à une voisine de venir s'occuper de Daniel. Burt et elle cherchèrent dans la maison et dans la cour.

— Quelle est la dernière chose qu'il t'a dite ? demanda Burt, tandis qu'ils sautaient dans l'automobile et commençaient à rouler lentement dans la rue, scrutant attentivement des deux côtés.

Stella passa nerveusement ses doigts dans ses cheveux.

— Je faisais la vaisselle, avant de préparer le dîner. Austin est arrivé avec son ballon et il m'a dit qu'il allait voir Michael Jordan.

— C'est ce qu'il dit tout le temps.

— Voilà. Je pensais qu'il jouait et je lui ai dit que j'étais d'accord.

Burt négocia un virage pendant qu'ils se lançaient un regard affolé. Trente minutes s'étaient écoulées depuis la disparition d'Austin. Si leur fils avait décidé de parcourir les trois kilomètres les séparant du boulevard Martin-Luther-King à pied, il aurait pu être kidnappé ou heurté par une voiture. De plus, on annonçait de la neige et Austin n'était pas habillé assez chaudement pour la température. Pire que tout, il pouvait être n'importe où, car il n'était pas assez vieux pour avoir le sens de l'orientation.

Pendant que Burt sillonnait les rues qui menaient vers le boulevard, Stella se servit du téléphone portable pour appeler la police.

— Notre petit garçon s'est enfui et nous ne le trouvons nulle part. Nous pensons qu'il se dirige vers le boulevard Martin-Luther-King.

— À quoi ressemble votre garçon ?

— Il a quatre ans. Il mesure environ trois pieds et demi. Il a des cheveux blonds, des fossettes et des yeux bleus. Il porte un ensemble noir et rouge, avec des tennis blancs et une casquette des Bulls de Chicago. Il avait un ballon quand il est parti.

Burt continua à chercher dans les rues près de la maison. Stella scruta chaque trottoir pendant que le policier complétait son rapport. Chaque minute qui passait augmentait les chances qu'Austin se fasse enlever par un étranger ou qu'il se fasse renverser. Elle luttait pour reprendre son souffle, envahie par un sentiment de désespoir. Devraient-ils fêter Noël en l'absence d'Austin ? Est-ce qu'ils devraient organiser des funérailles ?

Au bord de l'hystérie, elle couvrit son visage de ses mains et commença à prier. Soudainement, l'histoire de l'enfant Jésus lui revint à l'esprit — comment le roi Hérode avait cherché à faire assassiner l'enfant. À tous les coins de rue, des anges se trouvaient là pour protéger Jésus.

— Je vous en prie, Seigneur… dit-elle à voix haute, veillez sur Austin et conduisez-le jusqu'à moi. Envoyez-lui vos anges de Noël, où qu'il soit.

Burt et Stella étaient de fervents chrétiens et l'avaient été toute leur vie. Ensemble, ils avaient appris à leurs enfants à prier et à faire confiance à Dieu dans

123

toute situation où ils sentaient qu'ils avaient besoin d'aide. Mais quelques mois plus tôt, la mère de Stella était morte d'une tumeur au cerveau, et depuis, elle ne ressentait plus la joie qui accompagnait habituellement sa foi. Elle avait bien essayé de surmonter son affliction en se remémorant toutes les bonnes choses qui lui étaient arrivées dans sa vie, mais elle se sentait toujours triste et vide.

Maintenant qu'elle se trouvait assise dans le siège du passager, désespérée, priant pour qu'ils retrouvent Austin, elle reprenait vivement conscience de la valeur de la vie et souhaitait de tout son cœur trouver son enfant et le serrer dans ses bras. Ils parcoururent les rues qui entouraient leur maison et se dirigèrent vers le boulevard Martin-Luther-King. Il n'y avait aucune trace d'Austin.

— Entourez-le de vos anges, Dieu… murmura-t-elle encore. Je vous en prie, prenez soin de lui et ramenez-le vers nous.

Soudainement, le nuage d'affliction se leva et elle se rendit compte combien elle avait été bénie en tant que mère de deux enfants magnifiques, épouse d'un homme bon et dévot qui l'adorait ainsi que les enfants. Si elle pouvait seulement retrouver Austin, elle ne tiendrait plus jamais les grâces du Seigneur pour acquises.

Ils continuèrent à fouiller systématiquement une douzaine de rues, mais après quinze minutes, ils retournèrent à la maison pour faire le point. La police était là, parlant aux voisins, quand ils se garèrent.

— Aucune trace de lui ?

Il ne semblait pas avoir souffert de son aventure loin de la maison. Toujours en retrait, évitant prudemment de déranger les effusions, les femmes qui avaient suivi le garçon sourirent.

— C'est tout un numéro, ce garçon, dit doucement la plus vieille dame. Il courait après son ballon qui est tombé dans un fossé. Comme il y avait de l'eau, nous l'avons aidé. Nous l'avons ensuite suivi afin d'être sûres qu'il ne lui arrive rien.

Stella fit un signe reconnaissant de la tête, tout en restant accrochée à Austin.

— Merci mille fois, dit-elle en essuyant ses larmes et en examinant Austin pour vérifier s'il allait bien.

— Il disait qu'il allait à la maison de Michael Jordan, continua la femme.

— N'est-ce pas ce joueur de basket-ball professionnel ? demanda l'autre grande femme.

— Oui, répondit Stella sans détacher son regard d'Austin.

Elle se sentait soulagée et reconnaissante au-delà des mots d'avoir retrouvé son fils sain et sauf.

— Est-ce qu'il vit près d'ici ? demanda la plus vieille femme en se frottant le nez en signe de confusion.

Burt secoua la tête et laissa fuser un éclat de rire en ébouriffant les cheveux d'Austin.

— Austin a beaucoup d'imagination. Je crois juste que nous ne savions pas à quel point, ajouta-t-il en regardant Stella.

127

— Quoi qu'il en soit, reprit la femme, il avait l'air de savoir où il se rendait.

Stella approuva de la tête en accordant peu d'attention aux femmes. Elle les remercia pour leur aide et prit le garçon dans ses bras. Des larmes de soulagement coulèrent sur ses joues. Burt les ramena à la maison pour annoncer la bonne nouvelle aux policiers et aux autres.

Ils avaient parcouru une courte distance quand Burt appuya sur les freins.

— Que je suis bête ! J'aurais dû offrir à ces dames de les raccompagner chez elles. Il fait si froid dehors.

Il fit demi-tour dans la rue et roula en sens inverse, mais les femmes avaient disparu. Stella jeta un coup d'œil à sa montre. Il ne s'était même pas écoulé deux minutes depuis qu'ils les avaient quittées. Burt et elle scrutèrent la rue, mais ne trouvèrent aucune trace des trois femmes.

— Comme c'est étrange, marmonna Stella. Personne ne peut marcher aussi vite. Je me demande où elles ont bien pu passer.

— Cherchons encore, suggéra Burt. Si nous parcourons la rue, peut-être les trouverons-nous plus loin.

Pendant une dizaine de minutes, Burt et Stella roulèrent d'un bout à l'autre de la rue en cherchant attentivement les femmes qui avaient si aimablement veillé sur Austin.

— Tu as raison, dit Stella. Je me sens affreuse. Elles ont été si généreuses de veiller sur Austin et nous n'avons même pas offert de les raccompagner.

— Bien, répondit finalement Burt. Je pense qu'elles sont rentrées d'une autre manière.

Il y eut un silence, puis Stella repensa à sa prière. Protégez-le en envoyant vos anges de Noël…

— Burt, commença Stella d'une voix étrangement calme. Penses-tu qu'elles étaient des anges ?

— Voyons, Stella. Il s'agissait de femmes sympathiques se promenant et faisant une bonne action.

— Tu as raison, répondit Stella.

Elle pensa à Austin qui était tombé dans un fossé. Elle se rappela qu'un homme près de Vancouver s'était mis dans un pétrin semblable, une fois, et était resté pris dans la boue. Il était presque mort d'hypothermie quand les secours l'avaient finalement trouvé. Elle frissonna. Un enfant n'aurait pu s'en tirer aussi bien.

— Mais, qui qu'elles soient, elles étaient une réponse à nos prières, j'en suis sûre.

De retour à la maison, Stella et Burt rentrèrent en portant Austin dans leurs bras.

— Nous l'avons trouvé à un kilomètre et demi d'ici. Trois femmes du quartier marchaient derrière lui et le surveillaient.

— Oh, merci, doux Seigneur, s'écria la voisine en embrassant Austin sur les joues avant de laisser les Rozelle se remettre de leurs émotions.

Daniel était entré dans la pièce, impressionné par le fait qu'Austin soit parti et heureux qu'il soit de retour sain et sauf. Burt et Stella entourèrent Austin de leurs bras, l'attirant près d'eux en formant un cercle avec toute la petite famille.

— Nous nous sommes inquiétés pour toi, Austin, dit doucement Stella.

— Je sais, maman. Je n'irai plus à la maison de Michael Jordan. La prochaine fois, il viendra ici.

— C'est bien, répondit Burt.

Stella sourit et prit les petites mains froides d'Austin dans les siennes.

— Écoute, Austin, tu te rappelles ces dames qui t'ont aidé et qui sont restées avec toi ?

— Oui, maman, répondit Austin en faisant un signe de la tête. C'étaient des étrangères.

— Mais tu n'as pas eu peur d'elles ?

— Non, elles étaient gentilles.

Burt approuva de la tête.

— Oui, elles ont pris soin de toi. Est-ce qu'elles t'ont dit leurs noms ?

— Elles m'ont dit que c'est Dieu qui les envoyait, répondit simplement Austin.

Il y eut une pause, tandis que Stella, Burt et Daniel se penchaient vers lui, stupéfaits.

— Oh oui, reprit Austin en regardant sa mère. C'est quoi un « ange », maman ?

Les adultes regardèrent l'enfant fixement pendant un instant, puis échangèrent un regard en sentant la chair de poule couvrir leurs bras. Doucement, avec un grand sentiment de compréhension, Burt enjoignit les membres de sa famille à se tenir les mains. Il ferma les yeux et inclina la tête. Pendant qu'il parlait, sa voix était emplie de crainte et de respect.

— Dieu miséricordieux, nous ne connaissons pas tes desseins et ne croyons pas détenir les réponses. Mais nous savons aujourd'hui que tu as accompli un miracle pour notre petit Austin. Merci d'avoir répondu à nos prières en le ramenant sain et sauf à la maison.

Burt fit une pause, puis reprit sa prière avec une voix vibrante d'émotion.

— Seigneur, merci pour la foi de notre enfant. Et merci pour vos anges de Noël.

131

La main de Dieu

C'était Noël et les membres de la famille Kramer avaient passé un merveilleux congé ensemble, dans leur domicile de New Mexico. En plus des présents, la famille s'était réjouie de ces choses qui ne peuvent être enveloppées et placées sous l'arbre. Brian était très heureux de son travail de gérant d'une station touristique locale et Anne était enceinte de leur troisième enfant depuis quatre mois. Leurs deux filles, Kari, cinq ans, et Kiley, quatre ans, étaient heureuses et en santé et leur apportaient de nombreuses joies. En fait, la famille Kramer n'aurait pu être plus heureuse.

Après avoir célébré Noël à la maison cette année-là, la famille était montée à bord de la Chevy Suburban en direction d'une petite ville à environ vingt minutes au nord de Santa Fe. Depuis que les parents de Brian vivaient à Santa Fe, celui-ci connaissait bien les routes et appréciait les paysages.

— On ne s'en lasse jamais, fit remarquer Brian à son épouse en lui tenant la main, tandis qu'ils gravissaient les montagnes à l'extérieur de Santa Fe. Dieu sait comment rendre les choses belles.

Anne sourit en plaçant sa main sur son ventre.

— Oh oui, il sait.

La visite aux parents de Brian était joyeuse et remplie des rires de Kari et Kiley. Mais après deux jours, il était temps de rentrer à la maison. Une neige légère tombait tandis qu'ils remplissaient la Suburban et disaient au revoir.

134

— Je n'aime pas rouler quand il neige, dit Anne en bouclant sa ceinture de sécurité.

— Je sais, répondit calmement Brian. Mais tu ne conduis pas. C'est moi qui le fais. Et ça ne me dérange pas. Récite une prière pour que nous rentrions à la maison sans encombre.

Anne fit un signe affirmatif de la tête et demanda silencieusement à Dieu de protéger leur automobile pendant qu'ils revenaient à la maison. Une fois qu'elle eut terminé, elle essaya de son mieux de ne pas s'inquiéter. Elle regarda par la fenêtre et dut admettre que la neige qui tombait était magnifique. Elle tombait doucement et se déposait comme du sucre en poudre sur le sol.

La route qui menait de Santa Fe à la demeure des Kramer avait deux voies plus une voix occasionnelle de dépassement. Depuis la maison des parents de Brian, la route grimpait doucement jusqu'à ce qu'elle atteigne deux petites villes. Puis, elle redescendait pendant environ quarante minutes avant d'atteindre le creux de la vallée.

Même si le trafic était léger ce matin-là, Brian conduisait prudemment, conscient qu'il y avait des plaques de glace sous la route couverte de neige. La plupart des voitures sur la route possédaient des chaînes d'hiver sur leurs roues, mais même si les Kramer n'en avaient pas, ils se sentaient en sécurité dans leur 4 X 4 avec des pneus d'hiver à toute épreuve.

Brian sentit la crainte de son épouse quand ils entamèrent la section de la route qui précédait la descente. Il fixa sa femme et sourit.

135

— Chérie, tout ira bien. Ne t'en fais pas.

— Je sais, je sais, répondit Anne. J'aimerais seulement être arrivée à la maison. C'est tout.

— Nous serons à la maison bientôt. Détends-toi.

Anne fit un signe de tête, mais elle sentait des tensions qui envahissaient son corps. La route semblait particulièrement glissante, en dépit du fait que Brian roulait à faible régime.

Juste comme la route devenait plus raide, Brian ralentit, pour être certain de ne pas perdre la traction. Soudainement, l'arrière de la Suburban commença à louvoyer sur la route, passant d'un côté à l'autre. Brian s'escrima à corriger la trajectoire de la camionnette, mais pendant qu'il tournait le volant, il sentait que les roues ne mordaient plus à la route. Il comprit en un éclair ce qui se passait. Le véhicule était sur une plaque de glace et n'avait plus aucune adhérence.

À ce moment, le 4 X 4 oscilla dangereusement en direction du trafic qui approchait et dessina un cercle complet sur la route.

— Oh, mon Dieu, s'écria Anne en agrippant le tableau de bord. Au nom du ciel, arrête-toi !

La Suburban cessa de tourner et commença à glisser vers le côté en direction de la falaise qui bordait la route. Si le véhicule quittait la chaussée, Brian et Anne savaient qu'ils allaient périr, puisqu'ils seraient entraînés dans une chute de plusieurs centaines de mètres sur un terrain accidenté.

— Seigneur, aidez-nous ! s'écria à nouveau Anne.

Mais au fond de son cœur, elle savait qu'ils allaient bien trop vite et elle était certaine qu'ils allaient passer par-dessus bord.

Puis, juste avant la chute, la Suburban s'immobilisa brutalement. Kiley s'était déprise de sa ceinture de sécurité et la secousse brutale l'envoya valser de l'autre côté du véhicule contre la fenêtre.

Pendant un moment, régna le silence.

Brian regarda son épouse bouleversée, ne réalisant pas encore qu'ils venaient d'échapper à la chute dans la falaise. Il n'en revenait pas qu'ils soient tous en vie.

— Les filles, est-ce que ça va ? demanda-t-il en se retournant.

— Oui, papa, répondit une petite voix. Je me suis cogné la tête, mais ça va.

Soulagé, Brian fixa sa femme une fois encore.

— Nous avons dû heurter une souche d'arbre, un rocher ou autre chose, dit-il.

— Peut-être une barrière de sécurité, suggéra Anne.

Toujours secoué par le sort auquel ils venaient d'échapper — un accident de voiture potentiellement mortel —, Brian sortit du véhicule. Il le contourna pour se diriger vers l'avant. Il n'y avait rien entre la Suburban et la pente abrupte.

— Anne, viens voir ! dit Brian d'une voix forte. Viens voir ça !

Anne ouvrit sa portière et se glissa précautionneusement entre le véhicule et la falaise.

— Qu'avons-nous heurté ? demanda-t-elle.

— C'est ça le problème. Rien. Il n'y a ni rocher, ni souche, ni barrière de sécurité. Rien. La camionnette s'est arrêtée sans aucune raison apparente.

Anne examina le bord de la route et constata que Brian avait raison. Le véhicule avait glissé à près de vingt kilomètres à l'heure et s'était brusquement arrêté sans cause apparente. Ils regardèrent le flanc de montagne accidenté et frissonnèrent en pensant à ce qui aurait pu arriver.

— Anne, c'est comme si la main de Dieu avait surgi pour interrompre notre course vers la mort.

Anne se remémora silencieusement son appel désespéré pour une intervention divine. Elle se retourna et enserra la taille de son mari, déposant sa tête sur sa poitrine.

— De tout mon cœur, je crois que tu as raison. Nous avons été arrêtés par la main de Dieu. C'est un vrai miracle. Un miracle de Noël.

Ses voies impénétrables

*I*l n'y avait assurément aucun moyen, pour quiconque dans la famille Cannucci, d'anticiper combien l'été de 1939 serait extraordinaire. Il avait commencé comme tous les autres étés et aurait été sans histoires pour les enfants Cannucci, n'eut été de Maria Fiona. Pendant que leur mère s'occupait de travaux domestiques, Sara Cannucci, onze ans, devait s'occuper de son petit frère, Tony.

Un matin, peu après le début de l'été, Sara jouait avec Tony à l'extérieur de la maison de laquelle la famille louait le deuxième étage au New Jersey. Maria passa avec un sac d'épicerie. Son mari et elle n'avaient pas encore d'enfant, mais ce matin-là, Sara remarqua que Maria était enceinte.

— Hé, dit-elle, avez-vous besoin d'aide ?

Maria s'arrêta et sourit à la jeune fille. Depuis que la famille Fiona avait décidé de transformer les étages supérieurs de la maison à trois niveaux en logements, la famille Cannucci avait été leur locataire. Ce n'est qu'après avoir partagé la maison pendant de nombreux mois que les familles réalisèrent que leurs ancêtres avaient vécu dans le même village sicilien en Italie, de nombreuses années plus tôt.

— Je ne crois pas aux coïncidences, avait dit Cannucci père à ses enfants. Nos familles étaient ensemble dans ce temps-là et nous sommes ensemble aujourd'hui. Il y a sûrement une raison à tout ça.

Maintenant que Maria regardait les jeunes enfants Cannucci, elle apprécia leur offre. Après tout, ils étaient presque de la même famille.

— Bien sûr, Sara, j'aimerais que tu m'aides.

Maria posa son sac et regarda Sara prendre la main de son frère et se précipiter pour ramasser le sac. Les enfants suivirent Maria, tandis qu'elle entrait dans l'appartement.

— Je crois que nous pourrions le déposer là, suggéra Maria en indiquant une petite table de cuisine.

Elle regarda le garçon aux cheveux blonds jeter un coup d'œil de derrière les jupes de sa grande sœur.

— Oh, bonjour, Tony, dit-elle.

Puis, regardant Sara avec un sourire avenant, elle ajouta :

— Est-ce que vous aimeriez manger des biscuits ? Je pourrais aussi sortir des crayons et du papier…

Sara trouva l'idée parfaite. Pendant le reste de la matinée, les enfants restèrent avec Maria. Juste avant qu'ils retournent chez eux, Tony marcha vers Maria et fixa son ventre protubérant. Maria sourit et Tony tendit le bras pour le toucher doucement avec sa main dodue.

— Ballon ? demanda-t-il.

Maria rit et ses joues rougirent.

— Non, ce n'est pas un ballon. C'est un bébé. J'ai un bébé dans mon ventre.

Les yeux de l'enfant s'agrandirent.

— Un bébé ? Dans toi ? demanda-t-il.

— Oui, répondit Maria en prenant sa main et en la promenant sur le ventre tendu. Tu peux y toucher. Tu sentiras peut-être mon bébé donner un coup.

141

Tony laissa sa main sur Maria et continua à observer son ventre.

— J'aime bébé, dit-il doucement. Mon bébé.

Maria sourit encore une fois.

— Non, mon ange. C'est mon bébé. Mais quand il sera né, tu pourras être son ami. Veux-tu ?

Tony sembla satisfait de la réponse et fit un signe affirmatif de la tête. Ensuite, il se pencha et embrassa le ventre de Maria avant de se sauver avec sa sœur.

Après cela, les enfants rendirent visite à Maria tous les matins. Maria était heureuse d'avoir de la compagnie. Son mari était cordonnier et elle demeurait souvent seule de longues heures pendant qu'il travaillait à son atelier. Elle aimait les visites des enfants Cannucci et avait un faible pour Tony. Chaque fois que

le garçon venait, il était captivé par la grossesse de
Maria. Il caressait son ventre et l'observait ; il posait
même parfois sa tête sur elle. Il arrivait que l'enfant
sente le bébé donner un coup et il couinait de plaisir.

— Je ne le comprends pas, disait Sara en jetant un
regard interrogateur à son frère. Tony a vu d'autres
mamans enceintes. Nous connaissons même plusieurs
femmes qui sont enceintes en ce moment, et pourtant,
il ne s'intéresse pas à elles.

— Peut-être qu'ils seront des amis très proches,
répondait Maria en tapotant les cheveux blonds de
Tony qui reposait sa tête sur son ventre.

Tony parlait tout le temps de tenir le bébé, même
s'il ne comprenait pas bien comment le bébé sortirait
du ventre de Maria. Puis, un jour, Maria se rendit à
l'hôpital, et quatre jours plus tard, elle revint à la
maison avec un enfant emmailloté dans ses bras.

— Son nom est Sal, dit Maria en se penchant de
façon à ce que Tony puisse voir le bébé.

Tony était fasciné par les petites mains et les petits
pieds du bébé, et par son visage miniature.

— Mon bébé ? demanda-t-il encore à Maria.

— Ton ami, Tony. Bébé Sal est ton ami.

Sara souriait en assistant à l'échange et elle se
demandait ce qui se passerait dans quelques années : si
Bébé Sal et Tony seraient vraiment des amis.

Mais seulement deux mois plus tard, la famille
Cannucci déménageait pour se rapprocher de la bou-
cherie où travaillait Tony père. Pendant des semaines,
Tony parla de Bébé Sal et sembla malheureux d'avoir

déménagé. Mais quand l'hiver arriva, l'enfant découvrit de nouvelles choses et oublia le petit bébé. Puis les années passèrent.

Deux années après son secondaire, Tony s'enrôla dans l'armée et fut cantonné pendant deux ans au Panama. Ses frères d'armes et lui furent exposés au puissant défoliant nommé « Agent orange » qu'utilisait l'armée. Maintes fois, Tony et les autres jeunes hommes de sa division se sentaient terriblement souffrants et passaient plusieurs jours à l'infirmerie. Mais aucun lien ne fut établi entre l'herbicide chimique violent et leur maladie.

En 1958, à l'âge de vingt-deux ans, Tony retourna à Albany et s'inscrivit à l'Université du New Jersey. Il obtint rapidement son brevet d'enseignant et commença à travailler dans le même quartier où il avait grandi. Il se maria, eut deux magnifiques enfants et laissa l'enseignement pour un travail plus lucratif de directeur de formation au ministère de la Main-d'œuvre du New Jersey.

143

À peu près au même moment, au début des années soixante-dix, Tony commença à se sentir malade et à perdre du poids. Plusieurs semaines après l'apparition des premiers symptômes, un médecin confirma ses pires craintes. Il avait une leucémie à tricholeucocytes, une forme rare de lymphome qui était aussi douloureuse que mortelle.

— Sara, prie pour moi, s'il te plaît, demanda Tony à sa sœur après lui avoir appris la nouvelle. Je ne suis pas prêt à mourir encore.

— Ah, Tony, répondit Sara qui ne pouvait croire que son frère cadet avait le cancer. Bien sûr que je vais prier. Je vais prier pour un miracle.

Pendant presque une décennie, la maladie de Tony traversa des phases de rémission, puis son état commença à se détériorer. Sa rate fut enlevée à la suite d'une intervention chirurgicale. Après l'opération, son médecin lui dit qu'il n'en avait plus pour très longtemps.

Déterminé à faire mentir le pronostic, Tony changea de médecin et commença à voir un hématologue en 1979, le Dr Taylor Johnson, dans un hôpital du New Jersey.

— Les autres médecins me considèrent comme perdu, raconta Tony au Dr Johnson. N'allez pas faire la même chose, d'accord ? J'ai encore beaucoup de choses à vivre.

— Tu es très malade, Tony, répondit le Dr Johnson en souriant. Mais je pense que je peux t'aider. J'aimerais beaucoup que tu passes le grand test.

— Le grand test ?

— Oui Tony. Interféron. C'est un médicament expérimental pour l'instant, mais ça pourrait bien être ce dont tu as besoin.

— Alors, allons-y.

— Pas encore, répondit le Dr Johnson en secouant la tête. Cela prendra quelques années avant qu'il soit au point. Mon travail est de te garder en vie jusqu'à ce qu'il soit prêt.

Les perspectives de Tony étaient maintenant plus optimistes et son état s'améliora, mais plus d'une année plus tard, dans les années quatre-vingt, le Dr Johnson l'appela pour lui dire qu'il prenait sa retraite.

— Mais ne vous en faites pas. C'est un jeune médecin brillant qui prend ma place. Si quelqu'un peut vous garder en vie jusqu'à ce que l'interféron soit au point, c'est le Dr Fiona.

— Dr Fiona, répondit Tony, surpris. Ce nom me dit quelque chose.

— Eh bien, je pense que vous avez grandi tous les deux au New Jersey. Vous avez peut-être entendu son nom quelque part. Je prends un rendez-vous pour que vous puissiez le rencontrer le plus rapidement possible.

La première rencontre entre Tony et le jeune médecin fut positive et rassurante.

— Votre maladie est grave, dit le Dr Fiona, mais je pense que je peux vous aider à vivre jusqu'à ce que l'interféron soit prêt.

Le Dr Fiona était inépuisable, passant des heures avec Tony à tester son sang et à lui donner des conseils sur sa maladie. Cette année-là et la suivante, Tony faillit mourir plusieurs fois. Il était alité à l'hôpital pendant que des machines nettoyaient son sang. Presque toujours, le Dr Fiona s'asseyait près de lui, lui tenait la main et récitait des prières. Pour le Dr Fiona, Tony était plus qu'un patient avec une forme rare de leucémie. Les deux avaient grandi à Albany et avaient

145

des ancêtres qui étaient venus d'Italie. À cause de cela, le Dr Fiona se souciait grandement de Tony.

— Parfois, tout ce que nous pouvons faire est de demander à Dieu de prendre le relais, disait-il. Nous faisons tout ce que nous pouvons, le reste est entre ses mains.

En dépit du fait qu'il ait frôlé la mort à quelques reprises, Tony continua à vivre et le Dr Fiona l'aida dans sa lutte. Puis, à la fin des années quatre-vingt, quand l'interféron devint enfin disponible, le Dr Fiona fit en sorte que Tony soit l'un des premiers patients atteints de leucémie à l'essayer. Presque immédiatement, le corps de Tony reprit de la vigueur, et à la fin de 1989, il était en rémission.

— Vous m'avez sauvé la vie, docteur, lui dit Tony quand il apprit la nouvelle. Je devrais être mort à l'heure qu'il est, mais vous n'avez jamais abandonné.

— Nous l'avons fait ensemble, Tony. Vous, Dieu et moi. Vous avez toujours été important pour moi. Vous êtes un battant.

Le Dr Fiona fit une pause.

— Et maintenant, je voudrais vous parler de quelque chose pour laquelle il vaut vraiment la peine de se battre, ajouta-t-il.

Tony écouta le Dr Fiona expliquer qu'il aurait aimé obtenir son aide pour un téléthon de Noël cherchant à sensibiliser les téléspectateurs à la leucémie et ses possibles causes chimiques. Il voulait également aider Tony à engager des poursuites contre l'armée américaine pour l'exposition à l'Agent orange.

— Je suis sûr que l'Agent orange est la cause de votre leucémie, lui apprit le Dr Fiona.

Les deux hommes savaient que l'Agent orange avait été partiellement banni à cause de ses effets nocifs.

— Nous devons faire en sorte que plus rien de semblable n'arrive à un groupe de soldats, enchaîna-t-il. Je sais que tout ça vous prendra du temps pendant le congé de Noël… mais vous savez comment Dieu travaille. Vous êtes sûr de retirer plus que vous ne donnez.

Le zèle du Dr Fiona était contagieux. Tony accepta avec joie de participer aux deux combats : celui contre la leucémie et celui contre le gouvernement qui avait permis l'exposition à des produits chimiques nocifs. Le téléthon de Noël était prévu dans un mois. Puisque Tony devait passer à la télévision, sa sœur, Sara, qui travaillait comme reporter à New Milford, avait promis de regarder l'émission.

147

— Fais-moi un signe de la main, demanda-t-elle à Tony.

— Tu peux en être sûre, répondit Tony en riant.

Il y eut un silence. Quand Sara reprit la parole, son ton était sérieux.

— Vraiment, Tony, je suis heureuse que tu ailles bien. Je suis fière que tu te sois battu si fort.

— Ce n'est pas moi, c'est le Dr Fiona.

— Dr Fiona ?

— Tu sais, le docteur qui m'a soigné au cours des dix dernières années.

— Je sais, je sais. Je l'ai rencontré une douzaine de fois lorsque tu étais à l'hôpital. C'est juste parce que ce nom me dit quelque chose.

— À moi aussi. Il a grandi à Albany. Nous avons peut-être été à la même école ou quelque chose de ce genre. Qui sait ?

Puis, le jour de Noël, pendant que Sara syntonisait la chaîne qui diffusait le téléthon, elle était toujours intriguée par le nom du médecin qui soignait Tony. Où avait-elle entendu le nom Fiona auparavant ?

Elle regarda attentivement le téléthon et vit que Tony semblait en forme. Il avait survécu à une leucémie à tricholeucocytes pendant près de vingt ans, et grâce aux soins vigilants du Dr Fiona, à ses tests de surveillance et à ses procédés de lutte contre le cancer, Tony était l'individu ayant survécu le plus longtemps à cette forme de cancer.

Sara regarda attentivement quand les caméras montrèrent le Dr Fiona se tenant aux côtés de Tony et elle eut une réminiscence soudaine. Elle vit l'image de son frère de trois ans enfouissant son visage sur le ventre de Maria Fiona quand elle était enceinte.

— Mon Dieu, serait-ce possible ? se demanda-t-elle à voix haute.

La famille Cannucci avait loué un étage à la famille Fiona quand Sara était une jeune fille. Maria était alors enceinte et Tony devait avoir environ trois ans.

Ce soir-là, Sara, surexcitée, appela son frère.

— Tony, est-ce que tu connais le prénom de la mère de ton médecin ?

Tony sembla surpris de son intérêt soudain.

— Bien sûr, répondit-il. C'est Maria.

— Je n'arrive pas à y croire, s'écria Sara, stupéfaite. Je n'arrive tout simplement pas à y croire.

Elle fut envahie par un flot soudain de souvenirs.

— Qu'est-ce qu'il y a, Sara ?

— Te rappelles-tu quand nous vivions sur la Dix-huitième rue Nord ? Tu n'étais qu'un petit garçon.

— Pas vraiment, répondit Tony après avoir réfléchi un moment. J'en ai entendu parler. Un appartement ou quelque chose que nous avions loué à une autre famille.

— Tony, nous l'avions loué à la famille Fiona. Toi et moi allions visiter Maria Fiona et tu touchais toujours son ventre quand elle était enceinte. Tu étais en admiration devant l'enfant à naître, tu la surveillais, tu mettais tes petites mains sur elle et tu essayais de sentir les coups du bébé.

149

— Oui, et alors ? demanda Tony qui ne voyait toujours pas le lien.

— Tu ne comprends pas ? Le bébé était Sal Fiona. Ton docteur. Celui qui t'a sauvé la vie. Tu étais si impressionné par la vie de l'enfant à naître. Puis cet enfant a grandi et t'a sauvé la vie.

— Es-tu sérieuse ?

— Oui. J'ai prié pour un miracle, Tony, répondit Sara avec assurance. Et Dieu le préparait depuis longtemps déjà.

Tony fut stupéfait par cette révélation. Quelques minutes plus tard, il était au téléphone avec le Dr Fiona.

— Oui, quand je suis né, nous vivions sur la Dix-huitième rue Nord.

Pendant un instant, les deux hommes se turent, ébranlés de constater comment leurs passés étaient liés.

— Il est presque inimaginable que quelque chose comme ça se produise, dit finalement Tony.

Sal Fiona sourit à l'autre bout du fil.

— Pas vraiment, Tony. Tu n'étais peut-être qu'un enfant, mais les enfants sont toujours près de Dieu.

Il fit une pause, puis continua.

— Je t'avais dit que Dieu te donnerait quelque chose pour le temps donné le jour de Noël...

Les roses de Noël

Tara n'avait rien d'autre à faire cette journée-là. Alors, quand son amie qu'elle rencontra à l'école l'invita à dîner, elle accepta rapidement.

— Mon frère invite son équipe de football, expliqua son amie. Si tu viens, au moins je ne serai pas la seule fille.

Tara rigola et après avoir jasé avec son amie pendant un moment, elle prit des arrangements pour la voir le même soir. Même si Tara ne suivait pas le football, elle savait que le frère de son amie jouait pour une équipe semi-professionnelle de Tulsa, en Oklahoma. Elle était intriguée et se coiffa soigneusement avant de se rendre à la maison de son amie, plus bas sur la rue.

Ce soir-là, avec la maison remplie d'environ trente joueurs de football, Tara se sentit gênée. Elle venait d'avoir vingt ans et avait toujours été réservée avec les garçons, surtout quand ils étaient en groupe. Après un moment, elle s'isola et s'assit près du foyer pour réchauffer ses pieds. Pendant qu'elle était là, un joueur séduisant s'approcha et se présenta.

— Je m'appelle Andrew Mastalli, dit le jeune homme en souriant, les yeux pétillants. Mais tout le monde m'appelle Andy.

Tara ne put s'empêcher de rire. Après avoir brisé la glace, les deux parlèrent une bonne partie de la soirée. Andy avait tout juste vingt ans et souhaitait jouer au football le plus longtemps possible. Tara écouta attentivement, tandis qu'Andy parlait de ses rêves. À la fin de la soirée, même si Tara demeurait seulement à trois pâtés de maisons, Andy offrit de la raccompagner.

— Tu sais ce que je n'aime pas de l'hiver ? demanda Andy sur le chemin menant à la maison de Tara.

— Quoi ?

— Il n'y a pas de roses.

— Pas de roses ? demanda Tara avec curiosité.

— Les roses, c'est ce qu'il y a de mieux. Un jour, je voudrais une maison avec mes propres rosiers. Il n'y a rien comme le parfum des roses, l'été.

Tara sourit à son surprenant compagnon. Le lendemain, quand il l'invita pour une promenade, elle ne fut pas surprise.

— Il y a de l'attirance entre nous, raconta Tara quelques semaines plus tard à son amie, après ses quelques rencontres avec Andy. Mais nous ne voulons ni l'un ni l'autre quelque chose de sérieux pour l'instant.

Puisque aucune des deux familles n'avait beaucoup d'argent, et comme la mère d'Andy était malade, le couple attendit huit ans avant de se marier. Quand ils le firent, Andy acheta une rose à Tara pour descendre l'allée.

— Maintenant, plus rien ne peut nous séparer, Tara, lui dit-il. C'est le plus beau jour de ma vie.

Même si une blessure au genou avait mis fin à sa carrière de footballeur, Andy et Tara partagèrent une relation que peu de gens connaissent pendant les vingt-huit années suivantes. Andy accomplit son rêve. Peu de temps après leur mariage, ils plantèrent un rosier dans la cour de leur maison à Tulsa.

153

Puis, peu après son quarante-quatrième anniversaire de naissance, Andy fut refusé pour une promotion à l'école où il travaillait comme responsable de l'entretien.

— Les enfants l'aiment, le corps enseignant l'aime, tout le monde l'aime, raconta Tara à son amie intime peu de temps après. Le directeur est le seul qui a quelque chose à lui reprocher.

Quand il devint évident qu'Andy n'obtiendrait pas la promotion, il commença à souffrir de symptômes du stress. Il avait des migraines et des douleurs thoraciques et se plaignait de se sentir fatigué. Tara se faisait du souci pour lui et l'envoya voir un médecin.

— Vous devez relaxer un peu, monsieur Mastalli, lui dit le médecin. Mais je ne crois pas qu'il y ait rien d'inquiétant dans votre cas.

Mais un après-midi ensoleillé, une semaine après le rendez-vous chez le docteur, Andy subit une crise cardiaque foudroyante. Tara se précipita à l'hôpital pour être à son chevet. Mais il n'y avait rien que les médecins puissent faire. Andy succomba.

L'amour de la vie de Tara était parti pour toujours. Sans Andy, elle sombra dans une profonde dépression dont rien n'arrivait à la sortir.

Pendant les semaines qui suivirent le décès, des étudiants envoyèrent des lettres à Tara pour lui dire combien Andy était un homme merveilleux et combien il leur manquait. Mais rien ne soulagea le chagrin de Tara.

Elle perdit du poids et sortit rarement de la maison qu'Andy et elle avaient partagée. Ce n'est que beaucoup plus tard cette année-là qu'elle recommença à voir des amis et reprit ses activités sociales. Elle rencontra même occasionnellement un de ses amis masculins. Mais sa peine était trop vive pour qu'elle envisage de sortir avec un homme. Noël, le moment favori de l'année pour Andy, approchait et elle n'arrivait toujours pas à surmonter la douleur de sa perte.

— Je ne sais pas quand je pourrai te voir à nouveau, dit-elle à son ami un soir. Il y a trop d'éléments de mon passé dont je n'arrive pas à me sortir. Tu vois, Andy et moi avons été mariés pendant presque trente ans. Je ne sais tout simplement pas comment faire pour arrêter de l'aimer après tout ce temps.

La semaine avant Noël fut probablement la plus sombre pour Tara ; elle se sentait comme si elle avait fait une tentative pour vivre à nouveau et qu'elle avait échoué. Andy lui manquait terriblement, tellement qu'elle pensa ne plus jamais quitter la maison.

L'aube se leva sur Noël et Tara se réveilla au parfum envoûtant... des roses. Intriguée, elle sortit du lit et fit le tour de la maison. Dehors, la neige couvrait le sol et tout était givré. Tandis qu'elle passait d'une pièce à l'autre, elle était toujours enivrée par le parfum de la fleur préférée d'Andy.

155

Elle se précipita sur le téléphone et appela son amie et voisine, Lisa.

— S'il te plaît, Lisa, viens chez moi tout de suite, lui demanda-t-elle. Je sais que c'est le matin de Noël, mais il faut que je te voie. Juste une minute.

Elle ne parla pas des roses, car elle voulait savoir si l'odeur ne se trouvait que dans son imagination. Puisqu'elle était si forte, elle savait que si elle ne l'imaginait pas, Lisa la percevrait aussitôt qu'elle entrerait dans la maison.

— Hé, où sont les roses ? demanda Lisa quand elle ouvrit la porte, emmitouflée dans ses bottes et son manteau. C'est Noël, personne n'est censé avoir des roses.

Tara lança un regard étrange à son amie et des larmes jaillirent de ses yeux. Lisa comprit que quelque chose n'allait pas.

— Qu'est-ce qu'il y a, Tara ?

— Il n'y a pas de roses dans la maison. Aucune. Et il ne peut pas y avoir de fleurs dehors, puisque tout est gelé.

Lisa jeta un regard autour d'elle et, soudainement, une lueur de compréhension envahit son regard.

— Cela vient de Dieu, Tara, dit-elle. Il veut que tu saches qu'Andy va bien et que tout sera parfait. Tu peux refaire ta vie.

— Penses-tu vraiment ce que tu dis ? demanda Tara en prenant place sur une chaise.

— Oui, sinon, comment pourrais-tu expliquer ce parfum ? Il est si puissant que ça ne peut être rien d'autre.

Tara approuva doucement de la tête.

— Tu as raison.

Elle commença à pleurer. Que Dieu était bon de laisser savoir à Tara qu'il se préoccupait d'elle — qu'Andy l'attendait quelque part. C'était le plus beau cadeau de Noël que Tara ait jamais reçu. Il était empli de paix et d'accomplissement.

— Je pense qu'il est temps pour moi de lâcher prise…

Au même moment, l'odeur disparut de la pièce. Tara regarda Lisa pour voir si elle s'en était aperçue.

— Elle est partie, dit simplement Lisa.

— Oui, au moment même où je disais qu'il était temps de lâcher prise.

Tara ne sentit plus jamais l'odeur des roses en plein cœur de l'hiver comme elle l'avait fait ce jour de Noël. Peu après, elle reprit à nouveau ses activités sociales et sortit complètement de sa dépression. Même si elle eut des amis masculins, elle ne se remaria jamais.

— Il n'y aura plus jamais quelqu'un comme Andy, raconta-t-elle à Lisa quelque temps plus tard.

Comme pour se rappeler cet événement, elle s'occupa de son rosier tous les ans, sans jamais y manquer. Chaque été, quand il fleurissait, elle revenait en pensée à cette journée de Noël où elle croyait ne plus pouvoir vivre sans l'homme qu'elle avait aimé si longtemps. Et Tara se rappelait le parfum des roses et comment, par un quelconque miracle, Dieu lui-même lui avait donné la force et le courage d'aller de l'avant.

157

Obstacles divins

*L*e pasteur George W. Nubert regarda sa montre et prit une inspiration profonde. Son épouse s'affairait à préparer le dîner dans la cuisine. Il avait encore dix minutes pour retourner à l'église, allumer la fournaise au charbon et revenir à temps pour le repas. Parfois, il se sentait comme un artiste de cirque, faisant tourner des assiettes sur des piquets. Il devait en faire tourner une douzaine à la fois, sans qu'aucune ne s'écrase au sol.

Mais le pasteur Nubert ne s'en faisait pas.

Au fil des ans, il avait appris à composer avec la pression qui accompagnait son ministère. Sa vie était inévitablement environnée de crises, alors qu'il n'aspirait qu'au calme. Avec des prières et de la discipline, il avait découvert le secret pour être fiable avec ceux qui l'entourent ; il était organisé et ponctuel au-delà de tout reproche. Et bien qu'il eût préféré s'asseoir et se reposer un moment en cette nuit froide de décembre, il enfila un blouson et embrassa sa femme.

— Je reviens tout de suite, dit-il. Je dois mettre la fournaise en route pour ce soir.

À six heures trente, il arriva à l'église baptiste du West Side sur Court Street et LaSalle, au centre de la ville de Beatrice, au Nebraska. L'église était comme un point d'ancrage, un point de repère dont tout le monde se servait pour indiquer la route aux étrangers. Un étranger pouvait trouver n'importe quel endroit à Beatrice pourvu qu'il repère d'abord le clocher blanc de l'église baptiste du West Side.

Le pasteur Nubert descendit deux paliers d'escaliers jusqu'au sous-sol de l'église. Il alluma alors la fournaise au charbon, s'assurant qu'elle fonctionne correctement avant de repartir. Ensuite, il se dirigea vers le sanctuaire où vingt rangées de bancs d'église en bois accueillaient les fidèles le dimanche matin. Jetant un coup d'œil au thermostat, il l'ajusta afin que le bâtiment soit chaud dans exactement une heure. C'était le mercredi. La chorale répétait toujours à sept heures trente les mercredis soirs.

Regardant encore une fois sa montre, le pasteur Nubert quitta rapidement l'église et retourna chez lui pour manger. Il avait l'intention de revenir à son heure habituelle, soit sept heures quinze.

* * *

Martha Paul était la directrice de la chorale de l'église baptiste du West Side de Beatrice depuis seize ans. D'aussi loin qu'elle se rappelle, elle n'était jamais arrivée en retard à une répétition. Sans faillir, Martha arrivait au moins quinze minutes à l'avance.

— De cette façon, j'ai le temps de préparer les hymnes, aimait-elle dire à son époux. Je suis sûre qu'il y a suffisamment de partitions, que les lumières sont allumées et que j'ai le temps de reprendre mon souffle.

Martha avait souvent souligné aux membres de la chorale l'importance d'être ponctuel, leur rappelant qu'il était impossible de faire quoi que ce soit tant que chaque membre de la chorale n'était pas à sa place et prêt à chanter.

161

— Une chorale n'est pas l'affaire d'une ou deux voix, disait-elle. L'idée n'est pas d'arriver à sept heures trente, mais de commencer à chanter à sept heures trente.

Ce mercredi très froid de décembre, Martha était bien décidée à arriver à l'église à sept heures quinze comme d'habitude. Il s'agissait d'une répétition importante, puisque c'était la dernière avant que la chorale interprète sa cantate de Noël. En plus des quatorze membres de la chorale, il y aurait un trio d'adolescentes pour les accompagner. Le trio avait travaillé un morceau pour la cantate et ce serait la première fois ce soir que les deux groupes pourraient travailler ensemble. Plus que n'importe quel autre mercredi, il était important qu'elle soit en avance ce soir-là.

Mais elle rencontra un obstacle.

Sa fille, Marilyne, allait au collège et travaillait à temps partiel pour payer ses cours. Ce soir-là, elle revint de son travail d'après-midi et salua sa mère d'un signe de tête, fatiguée.

— Je vais faire une sieste, dit-elle. Réveille-moi pour la répétition.

Marilyne était pianiste et devait jouer pour la cantate de Noël. Même si elle manquait occasionnellement les répétitions de la chorale, il était essentiel qu'elle y assiste ce soir-là. Ainsi, à six heures quarante-cinq, Martha monta dans la chambre de Marilyne.

— Réveille-toi, claironna-t-elle. Nous partons dans vingt minutes.

Marilyne marmonna et se retourna dans son lit. Sûre que sa fille se réveillerait et se préparerait à temps pour la répétition, Martha retourna dans la cuisine.

À sept heures dix, voyant que Marilyne n'avait toujours pas émergé de sa chambre, Martha remonta péniblement les escaliers. La jeune femme semblait toujours dormir dans son lit.

— Marilyne ! s'écria Martha en avançant vers sa fille. Qu'est-ce qui se passe ? Il faut que tu te lèves tout de suite et que tu te prépares. Nous devons partir !

Marilyne fit un signe de la tête.

— OK Je pense que je suis réveillée, dit-elle en secouant sa tête et en ouvrant grands les yeux. Je vais me préparer aussi vite que je peux.

Martha redescendit pour attendre pendant que sa fille courait désespérément à l'étage en essayant de se préparer avant que sa mère remonte. Mais elle eut beau y mettre toute sa bonne volonté, elle ne fut pas prête avant sept heures vingt-cinq. Juste comme elle descendait l'escalier au bas duquel sa mère l'attendait avec un air désapprobateur, la maison fut plongée dans l'obscurité.

— Super ! grommela Martha. Maintenant, nous serons vraiment en retard.

*   *   *

Donna, Rowena et Sadie étaient les meilleures amies du monde depuis l'école primaire. D'aussi loin qu'elles se rappellent, leurs familles avaient fréquenté l'église baptiste du West Side. Pendant des années, elles avaient chanté dans le chœur d'enfants. Chacune des filles aimait chanter, et dans leur for intérieur, elles avaient toujours rêvé de former un groupe et de devenir célèbres un jour, après l'école secondaire.

Maintenant qu'elles étaient adolescentes, trop vieilles pour le chœur d'enfants, mais trop jeunes pour la chorale adulte, Martha avait trouvé un stratagème pour les impliquer. Elle avait créé le Trio de filles du West Side, une chorale spéciale pour les trois amies qui leur permettait de travailler des pièces musicales et de chanter à l'occasion pour la congrégation.

L'air qu'elles préparaient pour la cantate de Noël était l'un des plus beaux qu'elles eussent jamais répété.

Elles étaient impatientes de le chanter à la répétition de ce soir.

— Arrivons tôt, suggéra Rowena aux deux autres. Nous pourrons faire le tour avant la répétition.

Les filles élaborèrent un plan pour que Donna emprunte la voiture à son père et vienne chercher Rowena et Sadie chez elles vers sept heures. De cette façon, elles pourraient être à l'église vers sept heures et quart.

Mais à sept heures dix ce soir-là, après avoir guetté par la fenêtre pendant ce qui lui avait semblé un temps interminable, Rowena pinça ses lèvres en signe de frustration. Donna n'était jamais en retard quand elles planifiaient de faire quelque chose. Elle attrapa le télé-phone et composa le numéro de son amie.

— Allô, répondit Donna.

— Donna ? Qu'est-ce que tu fais ? Tu devais venir ici pour me prendre.

— Rowena, qu'est-ce que tu racontes ? répliqua Donna. J'attends Sadie. Je pensais que c'était elle qui devait venir nous prendre.

— Non, ce n'est pas ce qui était prévu, répondit Rowena. Je ne peux pas le croire ! Maintenant nous serons en retard et personne ne nous prendra au sérieux.

— Rowena, puisque je te dis que Sadie était sup-posée conduire ce soir.

Rowena poussa un soupir de mécontentement. Elle n'avait aucun moyen de transport, mais elle comptait bien régler ce malentendu pour qu'elles puissent se rendre à la répétition.

À sept heures vingt-cinq, Donna appela pour dire qu'elle avait les clés de la voiture dans ses mains, que Sadie attendait à l'extérieur et qu'elles partaient aussitôt. Juste avant qu'elles ne raccrochent, tout devint noir dans les deux maisons.

Théodore Charles n'avait pas l'habitude d'être loin de son épouse, Anne. Le couple était marié depuis quinze ans et ils avaient rarement passé une journée séparés. Mais ce soir-là, Anne avait des affaires de famille à régler à Lincoln. Elle ne serait pas de retour avant le lendemain matin.

— Ne t'en fais pas, Théodore, lui dit-elle avant de partir. J'ai arrangé les choses pour toi et les garçons. Vous irez dîner chez les McKinter mercredi soir pendant que je serai à Lincoln.

Théodore était heureux de cet arrangement. Les McKinter était un couple de retraités agréable et Margaret McKinter était l'une des meilleures cuisinières de Beatrice. Il savait que les garçons, âgés de huit et dix ans, et lui seraient entre bonnes mains pendant le départ d'Anne.

Ils avaient même planifié l'horaire pour après le repas. Le mercredi soir était le soir de la chorale, et Anne et lui amenaient habituellement les enfants avec eux. Le fait qu'Anne ne soit pas là ne changerait rien à l'affaire. Théodore et les garçons iraient manger chez les McKinter à six heures et partiraient peu après sept heures afin d'arriver à la répétition assez tôt pour discuter avec Herb Kipf. Les deux hommes étaient occupés le reste de la semaine et avaient peu de temps pour parler.

Tel que prévu, le repas de Margaret McKinter fut divin : du corned-beef avec des scones et de la sauce, et une tarte aux pommes maison pour dessert.

— Je dois avouer, Margaret, commenta Théodore après le repas, que vous faites la plus incroyable tarte aux pommes de ce côté-ci de la Blue River.

— Arrêtez donc, répondit Margaret avec effusion. Votre jolie petite épouse fait d'aussi bonnes tartes. Je me rappelle, lorsqu'elle était toute petite, cette Annie avec sa robe magnifique …

Théodore s'attendait à ces récits. En plus d'être une grande cuisinière, Margaret était aussi une grande causeuse. On pouvait souvent rester dix ou quinze minutes silencieux pendant que Margaret s'occupait de la conversation à elle seule.

Théodore ne fut pas surpris de répondre par des signes de tête, jetant des coups d'œil à sa montre une fois sept heures et quart passé. À sept heures vingt-cinq, il était fermement décidé à interrompre le monologue de Margaret, de se confondre en excuses et de se sauver avec les enfants avant de manquer la répétition de la chorale.

— Et comme je disais, dit Margaret en prenant une inspiration profonde, chaque fois que Thelma fait sa lessive sans javellisant, et je parle de ses dessous et tout le reste, et qu'elle l'étend sur sa corde…

Soudainement, tout sombra dans l'obscurité dans la maison des McKinter. Et pour la première fois depuis une heure, il y eut un silence profond dans la pièce.

Gina Hicks ne savait pas trop quoi faire ce soir-là. Elle appréciait énormément faire partie de la chorale de l'église baptiste du West Side et devait chanter une aria dans la cantate de Noël. La directrice voudrait sûrement qu'elle répète puisque le spectacle était dans moins de deux semaines.

Mais elle devait aussi penser à sa mère.

Norma Hicks était membre fondateur du Groupe des femmes missionnaires, qui se rencontrait un jeudi par mois dans une résidence différente. Ce mois-ci, les femmes avaient prévu se rencontrer chez les Hicks. La réunion devait se tenir le lendemain.

— Gina, je sais que tu dois aller à la répétition, lui avait dit sa mère plus tôt dans la soirée. Mais j'ai vraiment besoin de ton aide. En plus du ménage, il faut que je cuisine. J'aimerais que tout soit prêt ce soir.

Les sœurs et les frères plus jeunes de Gina avaient pris leur bain et se mettaient au lit, et Gina savait qu'il n'y avait personne d'autre pour aider sa mère. Elle ne savait pas sur quel pied danser. Elle vivait si près de l'église : elle pourrait revenir à la hâte après la répétition pour aider sa mère. Mais sa mère avait peut-être vraiment besoin de son aide. Il serait peut-être préférable qu'elle reste à la maison.

167

Gina regarda l'horloge. Il était sept heures vingt. Elle avait encore le temps de se rendre à l'église pour la répétition. Elle cherchait son manteau quand elle entendit sa mère essayer de séparer ses sœurs qui se disputaient.

Gina poussa un soupir.

— Maman ! cria-t-elle à travers la pièce. Ne t'en fais pas. Je vais rester.

Après tout, se dit-elle, Dieu voulait sûrement qu'elle chante dans la chorale — mais il voulait d'abord qu'elle aide sa mère. Elle commença à fredonner son aria et se dirigea vers la cuisine. Elle signala rapidement le numéro de son amie qui faisait également partie de la chorale, Agnès O'Shaugnessy.

— Je ne serai pas là ce soir. Dis à madame Paul que je travaille mon aria et que je la verrai plus tard pour répéter.

— Parfait, Mary, je m'apprêtais à partir. Je lui dirai.

Gina raccrocha. Comme elle commençait à laver la vaisselle, elle entendit un grondement sourd. Soudainement, la fenêtre commença à vibrer et le sol sous ses pieds à trembler.

Norma descendit les escaliers quatre à quatre suivie par les plus jeunes filles.

— Ah mon Dieu ! s'écria-t-elle. Mais qu'est-ce que c'était ?

Au même moment, l'obscurité envahit la maison.

Mary Jones et Agnès O'Shaugnessy étaient deux jeunes mères qui faisaient toujours du covoiturage pour se rendre à la répétition à l'église baptiste du West Side. Habituellement, elles avaient terminé le dîner vers sept heures et avaient préparé leurs poupons pour la nuit. De cette façon, leurs maris pouvaient s'occuper des enfants sans tracas pendant la soirée.

Ce mercredi-là, c'était au tour de Mary de prendre sa voiture. Elle arriva à la maison d'Agnès vers sept heures et quart. Agnès vivait à deux pâtés de maisons de l'église. Les deux femmes avaient l'habitude de parler avant de se rendre à la répétition. Mais ce soir-là, Agnès était totalement absorbée par son émission de télé favorite. Elle demanda à Mary de s'asseoir.

— C'est trop bon, dit-elle. Il faut que tu voies ce type.

Ce programme était l'un des favoris du voisinage et Mary fut rapidement captivée à son tour. Même après l'appel de Gina Hicks, Mary et Agnès continuèrent à regarder l'émission. Avant que les deux femmes ne réalisent l'heure qu'il était, l'horloge indiquait déjà sept heures vingt-cinq.

— Oh non ! s'écria Agnès. Nous allons être en retard. Je suis désolée, Mary. J'avais perdu la notion du temps.

Mary se leva rapidement, les yeux toujours rivés sur l'écran. C'est à ce moment que Paul, le mari d'Agnès, arriva avec le bébé dans ses bras.

— Hé, les filles, vous ne seriez pas en retard ? demanda-t-il en regardant l'horloge.

— Nan, répondit Mary. J'aime trop cette émission. Nous serons là à sept heures trente. L'église est au coin de la rue.

Moins d'une minute plus tard, le générique défilait à l'écran, les deux femmes saluaient Paul et se dirigeaient vers la voiture. Juste comme elles ouvraient les portières, elles entendirent une terrible déflagration qui secoua le sol et faillit les faire tomber.

Le pasteur Nubert avait terminé son repas vers sept heures ce soir-là et aida son épouse à faire la vaisselle. Suzanne, leur petite fille de six ans, était déjà habillée et attendait à la porte d'entrée. L'horaire de la soirée était parfaitement respecté. Le pasteur esquissa un sourire. Il attendait avec impatience la répétition de la chorale, puisque la cantate devrait être jouée très bientôt. Tout le monde était fébrile en pensant au spectacle. Cela leur donnait une raison de plus pour répéter avec ferveur.

170

— J'espère qu'il y aura beaucoup de monde ce soir, dit-il à son épouse.

Avant que cette dernière puisse répondre, Suzanne fit irruption dans la cuisine.

— J'ai soif, papa, dit-elle.

Le pasteur Nubert regarda l'horloge murale. Sept heures cinq. Ils devaient partir dans deux minutes s'ils voulaient arriver à sept heures et quart.

— Chérie, peux-tu attendre à la fin de la répétition ? Il y aura du jus et des biscuits quand les chants seront terminés, plaida-t-il en se penchant à son niveau et en enlevant une mèche de cheveux devant ses yeux.

La petite fille secoua la tête avec résolution.

— J'ai mal à la gorge et je voudrais boire maintenant, s'il te plaît, répondit-elle poliment. S'il te plaît, papa.

Le pasteur poussa un soupir.

— D'accord, mais nous devons partir dans une minute. Peux-tu boire rapidement, s'il te plaît ?

— Oui, papa, répondit Suzanne en frappant ses mains de joie.

Il marcha jusqu'au réfrigérateur et sortit du jus de raisin. Il en versa dans un verre et le tendit à sa fille.

— Merci, papa, dit-elle en se retournant et en sortant de la cuisine.

Le pasteur Nubert surveillait sa fille lorsqu'elle tourna le coin du salon et s'enfargea dans la carpette, renversant le liquide rouge sur sa robe chasuble. Immédiatement, le jus se répandit sur la carpette beige et Suzanne cria à l'aide.

— Je suis désolée, papa. Je ne l'ai pas fait exprès.

Des larmes jaillirent de ses yeux et le cœur du pasteur se serra. Il vint rapidement se tenir à côté de sa fille.

— Ça va, mon cœur. Nous allons nettoyer ça.

Un instant plus tard, la mère de l'enfant les rejoignait avec un seau rempli d'eau et une brosse. Elle travailla aussi vite que possible pour faire disparaître la tache sur la carpette et pour nettoyer la robe de Suzanne.

— Nous allons devoir te changer, chérie, dit-elle avec empathie.

Le pasteur regarda encore l'horloge. Sept heures treize.

— Nous allons être en retard, marmonna-t-il à son épouse, pendant que leur fille sortait de la pièce.

— Tout le monde arrive en retard au moins une fois dans sa vie, répliqua-t-elle avec un sourire. Ne te laisse pas abattre, George.

Il soupira à nouveau et aida son épouse à nettoyer.

— Tu as raison. Va aider Suzanne. Nous arriverons quand nous le pourrons.

Quatorze minutes plus tard, juste comme les Nubert avaient fini de nettoyer les dégâts et se préparaient à partir, la maison trembla soudainement et les lumières s'éteignirent. Ils restèrent dans une noirceur profonde.

172

— Qu'est-ce qui se passe, George ? murmura son épouse. Qu'est-ce que c'était ?

Le pasteur tenait ses clés dans ses mains. Il conduisit sa famille précautionneusement jusqu'à la porte d'entrée.

— Je ne sais pas. Allons à l'église pour voir s'il y a de la lumière là-bas.

Herb Kipf avait terminé son dîner et finissait d'écrire une lettre destinée à la secrétaire d'une autre église baptiste de la ville. Il aidait souvent à tenir à jour les papiers de l'église, ce qui l'amenait à écrire des lettres.

Âgé de vingt-neuf ans, Herb était un mécanicien et un célibataire qui demeurait à la maison avec ses parents. Il travaillait souvent de longues heures et faisait du bénévolat presque tous les jours à l'église baptiste du West Side. Il était membre de la congrégation depuis toujours et chantait dans la chorale depuis qu'il avait douze ans. En fait, la plupart des membres de la chorale avaient chanté ensemble pendant les dix-sept dernières années.

— Herb, ne vas-tu pas être en retard pour la chorale ? lui demanda sa mère ce soir-là. Il est sept heures dix.

Herb jeta un coup d'œil au cadran de sa chambre et fut surpris de voir que le temps avait passé si vite. Il avait prévu être à la répétition à sept heures et quart pour rencontrer Théodore Charles et ses autres amis. Maintenant, il avait tout juste le temps d'arriver pour sept heures trente. Il termina rapidement sa lettre et cacheta l'enveloppe à sept heures vingt-cinq. Il se prépara aussitôt à partir.

Il descendit les escaliers en courant, lança un bonsoir à sa famille et se précipita vers son automobile. Mais juste avant qu'il parte, sa mère jaillit de la maison et, en mimant le geste, lui intima de baisser sa fenêtre.

— Qu'est-ce qu'il y a, maman ? Je suis pressé, dit-il avec précipitation.

Elle accourut à la voiture et Herb s'aperçut qu'elle était affligée.

— Herb, dit-elle à bout de souffle, Gladys vient d'appeler et c'est l'église. Elle a explosé ! Il y a une minute à peine, à sept heures vingt-sept.

La mâchoire d'Herb s'affaissa et son cœur fit un bond dans sa poitrine. Si l'église avait explosé à sept heures vingt-sept, cela ne pouvait signifier qu'une chose : plusieurs de ses meilleurs amis étaient à l'intérieur. Il fit un signe de tête à sa mère et se précipita vers l'église, priant en conduisant pour que les membres de l'église baptiste du West Side aient survécu à l'explosion.

Comme il approchait de l'église, Herb aperçut de nombreux camions de pompiers, des officiers de police et des douzaines de badauds qui se pressaient sur le trottoir pour voir ce qui se passait. Il regarda à l'endroit où se trouvait habituellement l'église et fut horrifié. Le bâtiment avait été soufflé et il ne restait plus qu'une pile fumante de bois et de briques. Il déplaça son véhicule précautionneusement entre les véhicules d'urgence et aperçut le clocher de l'église. Celui-ci, haut de vingt pieds, avait été sectionné par l'explosion et s'était écrasé sur l'emplacement où les chanteurs garaient habituellement leur voiture.

— Doux Seigneur, qui était à l'intérieur ? murmura Herb, horrifié.

Il sortit rapidement de son automobile pour se diriger vers le chef des pompiers.

— Ernie ! appela Herb avec désespoir.

Il pouvait entendre les gens crier et pleurer en regardant l'église démolie. Il essaya de ne pas penser à

174

combien de ses amis pouvaient se trouver à l'intérieur quand elle avait explosé. Les sirènes hurlaient dans la nuit, l'air était empli d'une fumée épaisse et de cendres. Il faisait noir depuis quelques heures et il était difficile de distinguer clairement les choses.

— Merci, mon Dieu, s'exclama le chef des pompiers en se frayant un chemin jusqu'à Herb et en mettant une main sur son épaule. Je pensais que tu étais à l'intérieur. Tu n'avais pas une répétition avec la chorale ce soir ?

Des larmes emplirent les yeux de Herb tandis qu'il faisait un signe affirmatif de la tête.

— Oui, mais j'étais en retard. Mais les autres... Ernie, ils étaient à l'intérieur. Il est passé sept heures trente. Qu'est-ce qui s'est passé ?

— Le bâtiment a explosé. Probablement une fuite de gaz naturel. Le clocher est tombé sur des fils à haute tension, causant une panne dans tout le secteur. Les fenêtres ont volé en éclats. Il y a des morceaux de vitre partout.

Ernie pencha sa tête un instant, avant de poursuivre.

— Ça ne me fait pas plaisir de te dire ça, mais s'il se trouvait quelqu'un à l'intérieur, il n'avait aucune chance.

— Avez-vous fouillé les décombres ? demanda Herb en s'efforçant de scruter l'emplacement de l'église. Quelqu'un a peut-être besoin d'aide.

Ernie secoua la tête.

— Nous avons regardé rapidement. Il n'y a aucun corps. C'est comme si une bombe était tombée dessus. Tout ce qui se trouve dans les fondations est enfoui sous des tonnes de gravats.

Le chef des pompiers regarda son ami avec compassion, se demandant s'il pouvait lui confier une tâche difficile.

— Herb, il y a plein de gens affolés autour. Il faut leur donner des réponses. Peux-tu essayer de voir s'il y a des membres de la chorale ? Il faut savoir qui manque à l'appel...

C'était la tâche la plus effrayante que Herb s'était jamais vu confier. Il prit une profonde inspiration et marcha vers les gens agglutinés, essayant de distinguer les visages des membres de la chorale. Les débris encombraient le secteur. Herb dut enjamber des bancs d'église brisés et des tuiles de toit en commençant ses recherches.

Il aperçut alors les trois adolescentes qui devaient se joindre à la chorale ce soir-là. Donna, Rowena et Sadie. Il sentit une vague de soulagement l'envahir quand il parvint à les rejoindre et à les enlacer.

— Merci, mon Dieu, dit-il.

Donna sanglotait trop pour pouvoir parler. Rowena semblait secouée.

— Nous n'arrivions plus à nous entendre pour savoir qui devait conduire, dit-elle en regardant les décombres. Nous étions dix minutes en retard. Juste dix minutes !

176

Herb montra les filles au chef de pompier et leur dit qu'elles devaient attendre là.

— Nous devons savoir qui se trouvait à l'intérieur.

En entendant cela, Rowena commença à sangloter.

— Rowena, garde le contrôle, lui ordonna Herb.

Ce n'était pas le moment pour les crises d'hystérie, surtout quand tant de personnes manquaient à l'appel.

— Prie, Rowena, dit-il. Contente-toi de prier.

Les filles obéirent aux consignes de Herb qui continua ses recherches dans la foule qui ne cessait de grandir. Il aperçut alors Théodore Charles et ses deux fils pelotonnés contre lui. Les deux hommes étaient de si bons amis que Herb pleura sans honte de soulagement.

177

— Théodore ! cria-t-il. Ici !

Théodore aperçut Herb et marcha rapidement avec ses deux garçons pour le rejoindre.

— Nous étions en retard, expliqua Théodore. Madame McKinter n'arrêtait pas de parler.

Il regarda Herb avec un air sinistre, avant de poursuivre.

— Sinon, nous serions morts.

— J'étais en retard aussi, avoua Herb. J'écrivais une lettre. Je n'ai pas vu le temps passer.

Il fit une pause. Pour la première fois, il entrevoyait la vérité. Il aurait dû être dans l'église quand elle avait explosé. D'aussi loin qu'il se rappelle, tous les autres mercredis, il était arrivé au moins quinze minutes à l'avance. Il serra son ami dans ses bras et l'envoya vers le chef des pompiers.

Pendant quinze minutes, Herb s'activa frénétiquement dans la foule. Il trouva le pasteur Nubert, son épouse et leur fille, Suzanne. Ils s'échangèrent rapidement des étreintes. Herb les envoya vers le chef des pompiers, pour qu'ils rejoignent les autres. Quelques minutes plus tard, il aperçut Mary Jones et Agnès O'Shaugnessy, et trois femmes à la retraite, qui étaient venues séparément et qui avaient toutes une raison différente pour être arrivées en retard à la répétition prévue en soirée. Quelques instants plus tard, il trouva un couple qui s'était joint à la chorale l'année précédente. Ils avaient reçu un appel longue distance qui les avait retardés.

Herb tomba finalement sur la directrice de la chorale, Martha, et sa fille, Marilyne.

— Martha ! s'exclama Herb en serrant la femme en pleurs dans ses bras et la laissant pleurer sur son épaule un moment. J'étais sûr que vous étiez à l'intérieur.

— Marilyne n'arrivait pas à se réveiller, dit-elle en sanglotant. J'ai essayé et essayé de la secouer, mais elle a continué à dormir.

Elle regarda fixement Herb, les yeux rouges et le visage inondé de larmes.

— Sais-tu que je ne suis jamais arrivée après sept heures vingt au cours des seize dernières années ? demanda-t-elle alors, les yeux emplis d'effroi.

— L'église a justement explosé à sept heures vingt, déclara Herb solennellement en montrant les autres. Allez les rejoindre. Nous devons savoir qui a disparu.

Herb avait l'impression d'être au milieu d'un rêve étrange. Au début, il avait ressenti l'horreur en voyant l'église démolie par une explosion. Puis il y avait eu le miracle de retrouver les membres de la chorale les uns après les autres, toujours vivants. Comment était-il possible qu'autant de gens aient pu être en retard pour autant de raisons différentes ?

Ce soir-là, à l'église, il aurait dû y avoir quatorze membres de la chorale, trois adolescentes et trois enfants. Après un décompte rapide, Herb fut abasourdi de découvrir qu'il ne manquait qu'une personne.

— Gina Hicks ? cria-t-il afin que les autres membres de la chorale puissent l'entendre. Est-ce que quelqu'un a vu Gina Hicks ?

— Elle ne pouvait pas venir ce soir, répondit Agnès avec joie, essuyant les larmes de ses yeux. Elle m'a appelée pour dire qu'elle restait aider sa mère.

Cela faisait vingt personnes. Tous les membres de la chorale étaient présents.

Au même moment, Erma Rimrock, une rentière, qui avait été membre de l'église pendant quarante ans, s'approcha du groupe.

— Dieu merci, vous êtes tous en vie, dit-elle.

Puis, en se tournant vers le pasteur Nubert :

— Pasteur, la semaine dernière, mon frère et moi avons acheté l'église méthodiste qui avait fermé en bas de la rue. C'était une sorte d'investissement. Je veux que vous sachiez que vous pourrez y célébrer l'office aussi longtemps que vous en aurez besoin. La cantate de Noël devrait également y faire bonne figure. Nous viendrons tous demain pour voir ce qui peut être sauvé dans ce fouillis. Avec un peu de ménage dans l'autre bâtisse, nous devrions être capables de nous rassembler ce dimanche.

Le pasteur était abasourdi. Il n'y avait aucune explication pour ce qui s'était produit ce soir. Sans compter l'offre d'Erma. Il la serra dans ses bras et la remercia. Il se tourna ensuite vers Herb.

— Nous sommes tous là ? demanda-t-il, encore éberlué.

Herb fit un signe affirmatif de la tête et regarda les visages qui lui faisaient face, chacun jonglant avec l'idée du désastre auquel ils venaient d'échapper. Ils se tenaient, silencieux et grelottants, dans l'air glacial de cette nuit d'hiver. Pendant presque une minute, personne ne dit un mot, chacun réalisant qu'il venait de prendre part à un miracle.

— Je crois que nous devrions joindre nos mains, suggéra Herb doucement.

La chorale se sépara du reste de la foule et se trouva un coin libre au milieu de Court Street où ils formèrent un cercle.

— Comprenez-vous ce qui vient de se produire ? leur demanda Herb. Nous étions tous en retard ce soir. Chacun de nous.

— Prions, suggéra le pasteur Nubert, tandis que chacun inclinait la tête.

— Cher Seigneur, dit le pasteur d'une voix vibrante d'émotion, nous savons que tu nous as sauvés ce soir d'une mort certaine. En retardant chacun de nous de dix minutes, tu as montré encore une fois ton infinie bonté. Nous te remercions tous sincèrement.

Le pasteur serra les mains de son épouse et de sa fille. Il regarda les visages qui l'entouraient. Puis, il regarda le ciel et dit dans un murmure :

— Merci, mon Dieu. Nous n'oublierons jamais ce qui vient d'arriver.

Puis, devant les citoyens qui les regardaient, la chorale de l'église baptiste du West Side joignit les mains et chanta « Sainte nuit ». Tous ceux qui entendirent ce cantique ce soir-là à Beatrice s'en souviennent encore.

L'auteure

KAREN KINGSBURY vit avec son mari et leurs six enfants dans le nord-ouest du Pacifique. Elle est surtout connue pour ses best-sellers *Where Yesterday Lives* (Où vivent les souvenirs), *Waiting for Morning* (En attendant le matin), *A Moment of Weakness* (Un moment de faiblesse), *When Joy Came to Stay* (Quand la joie reste), *A Time to Dance* (Un temps pour danser) et *On Every Side* (De tous les côtés).

Autres livres de Karen Kingsbury
aux Éditions AdA

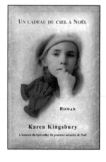

Pour obtenir une copie
de notre catalogue
veuillez nous contacter :

1385, boul. Lionel-Boulet
Varennes, Québec
J3X 1P7
Fax : 450.929.0220
info@ada-inc.com
www.ada-inc.com